KB096719

표지그림작가 김미숙

봄날 무의식의 정거장에서

무의식의 정거장에서

혜월당 일곱 번째 평론집

한국시문학시인론
표지 그림 김미숙

표지 내지 편집 김지숙

봄날 무의식의 정거장에서

프롤로그

봄날 무의식의 정거장에서

목차

여는 글

평론은 작품의 가치평가에 있어 속속들이 알고 써 내려가는 글이다 해석기준은 다르지만 해당분야의 해박한 지식으로 작품가치를 찾아내어 내면까지 깊이 들여다보는 과정을 거쳐 일목요연하게 해석하는 원칙을 담은 비평의 작업이 잘실히 필요하다

시를 읽고 또 쓰는 이들에게 작은 도움이 되기를 바라는 마음을 담았다 나아가 이 책에는 여러 지면을 두고 발표한 내용을 나름 기준을 두고 다양한 이론을 적용했으며 시적 자율성과 고유한 특성을 지키고자 노력하였다

내곁에서 살아가는 사람들의 삶이 매순간 순한 봄날이기를 바란다 그림을 아낌없이 내어준 김미숙화가님께 감사드린다 대부분의 작품이 일상에서 만나는 사물들을 환한 색감으로 풀어내는 여유와 부드러운 시선으로 세상을 바라보는 점이 내가 바라는 온화한 세상과 유사하다 그의 삶에서 느껴지는 긍정성이 밝고 환함 언제 봐도 기분좋은 그림과 그 마음 내어준 그는 내게 언제 만나도 반가운 귀인이다

慧越堂

봄날 무의식의 정거장에서

시문학시인선 453

날아가는 공

김규화 시집

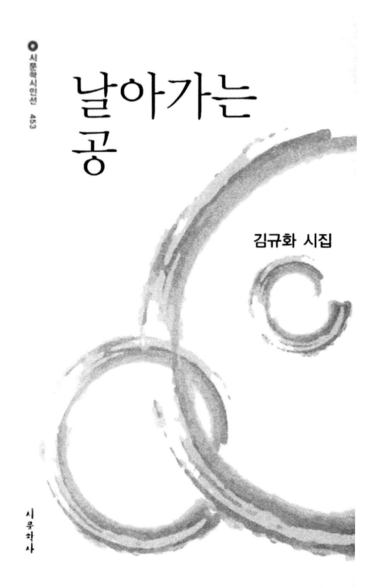

시
문
학
사

봄날 무의식의 정거장에서

6

김규화론 우연과 필연의 미학적 변주

『날아가는 공』(김규화)

봄날 무의식의 정거장에서

롤랑바르트의 말처럼 무수한 기표를 자신의 아우라Aura로 통합하는 시인은 다양한 감정 정보 등을 시의적절하게 경험하고 재생하는 과정을 거쳐 시를 생산한다 독자의 입장에서는 예기치 못한 낯선 시를 만나기도 하는데 이는 난감함과 혼란스러움을 넘어 경이로운 흥분상태가 되기도 한다

하이퍼시란 결합 삭제 교환 편집 등을 자유자재로 컴퓨터의 링크 기능을 종이 위에서 편집하여 쓴 시들을 일컫는다 문덕수(2008)는 링크와 쌍방향이 결합된 하이퍼라는 용어를 우리 시단에서는 제일 먼저 도입하였으며 현실이 소멸된 가상현실 현세화 등을 들어 하이퍼시를 정의한다

심상운은 연결과 이질성 원리 다양체 원리 단절 원리 전시 원리 등을 들어 이선은 정물화 기법 겹쳐 그리기 기법 움직이는 그림 기법 옴니버스식 기법 등을 들어 하이퍼시 창작 기법으로 제시하였다 그 밖에도 오남구 최진연 신규호 정연수 손해일 등이 이에 관해 언급한 바 있다 하이퍼 시는 초현실주의 시와 창작 기법 면에서 유사한 점이 있어 하이퍼시와 초현실주의 시의 차이점을 4가지 정도 들어 이 시집에 수록된 시들에 관해 언급하고자 한다

첫째 하이퍼 시와 초현실주의 시는 가상 세계를 시적 공간을 삼아 현실에서 비현실로 옮겨간다는 공통점은 있다 하지만 비현실로 나아가는 과정에 해당하는 자유연상 기법에서는 다소 차이가 난다 연상기법이란 대체로 근접성 유사성 대비성에 원칙을 둔다 초현실주의 시에서 자유 연상은 기존의 연상 법칙에 얽매이지 않고 자유롭게 떠오르는 단어를 활용하여 기술한다 즉 구속되지 않는 상태에서 비이성적이며 비논리성

봄날 무의식의 정거장에서

에 관심을 두는 한편, 기존 질서를 파괴하는 기법으로 쓰였
다. 정신세계에서 지속적으로 따라오는 독백이나 사고를 수
정 없이 연상 적용시키는 시의 특징을 지닌다

산속에 비 내려 불어난 물이
계곡에서 가쁘다
상수리나무가 이파리 서너개 떼어내
커다란 부채로 부채질하면
발을 동동 구르며 개골개골 떠내려가는
개구리 소리가 한여름 밤에 무논에서 난다
사립문 밖이 달빛 창창하고
일곱 살 짜리 작은 발이 논둑을 탁탁치면
죽비로 쓸려 사라지는 소리
다시 시작하는 합창소리가 고르륵 고르륵하는
파이프 물내려가는 소리 쌍둥이 빌딩의 벽에서
부서진 파이프가 이어지고
누운 벽들이 다시 일어나
뉴욕의 지붕을 성큼성큼 내달린다
고르륵 고르륵 개골개골 숨 가쁘다

-「개구리 소리」전문

「개구리 소리」의 화자는 계곡물 소리와 개구리 소리의 유

봄날 무의식의 정거장에서

사성에 근거한 단어들을 자연스럽게 연상한다 자유로운 의식의 흐름을 따른 자유연상이라는 점에서 앞의 시와 크게 다르지 않다

하지만 우선 화자의 청각을 사로잡는 계곡물 소리는 개구리 소리와 같은 화자가 현존하는 공간에서 들리는 소리이고 그 소리에 집중하다 보면 기억 속에서 연상되는 파이프 물이 내려가는 소리 그리고 좀 더 심연으로 소리를 수렴하면서 쌍둥이 빌딩에서 장거리 공간으로 소리가 확장되어 공상의 세계로 나아가는 자유연상은 시공간으로 확산한다

그리고 마지막 연에서는 이 소리들은 통합적으로 사유된다 움직이며 공상 속으로 달리는 입체성은 각 연마다 달리 나타나고 또 여러 소리들이 한정된 장소가 아니라 산→들→빌딩으로 그 시선이 움직이면서 생동감을 불러일으킨다 이들은 각각 다른 장소 다른 시간대에 나는 소리들과 숨이 가쁘고 혼란한 그 소리들이 개구리 울음소리라는 유사성에 근거한 공통된 소리에 서로 링크된다 계곡 물이 불어나는 장면 그리고 그곳에 불쑥 발을 동동 구르는 개구리가 나타난다 그런데 그 개구리는 잠깐 사라진다

 2연에서는 일곱 살짜리 아이가 사는 논둑에 나타난다 그리고 3연에서는 뉴욕 지붕을 내달리는 핸드폰 소리가 개구리 소리처럼 겹쳐진다 마치 우리 전통 놀이 무궁화 꽃이 피었습니다라는 놀이처럼 독자가 잠시 눈을 돌릴 때마다 시야에는 새로운 장면이 펼쳐진다 이는 피크로노랩시(빈발성 망각증)에 기인한 놀이로 몽타주 기법과도 유사하다 한 장면이 사라지고 다시 새로운 장면이 나타나면서 공간 배열은 바뀐다 사

봄날 무의식의 정거장에서

라짐-새로움-사라짐-새로움-사라짐-새로움이 반복되는 동시에 건너 뜀 초월(문덕수)이 나타난다 한편 이 장면들은 불연속적 결합이 자유롭게 연상되면서 서로 상관없는 이미지들로 구성된다 하지만 유사한 소리를 반복하는 과정에서 통일된 하이퍼성이 나타난다

역사박물관에서「미륵」강의를 듣고 나오는데
마당 가 미루나무 숲에서 매미들이 한꺼번에
미륵미륵미륵 미르미르미르 르르르
소리를 흘린다
염소에게서 배웠나 매해해 얌얌 염소
입술을 뾰죽이 내밀어
매매매 하는 그그그 미
매 하는 미 매미이이이를
플랫폼에 혼자 두고 기차가
소리 한번 매앵! 지르고 바퀴를 자글자글 굴리며 떠난다
맴맴맴 매애애
매앵매앵 앵앵앵
미잉미밍 잉잉잉

-「매미소리」

「매미소리」에서도 소리의 유사성에 근거한 언어유희 기법과

봄날 무의식의 정거장에서

현실과 비현실 의식과 무의식에 근거한 자유연상이 나타난다 화자는 현재 공간인 역사박물관에서 미륵강의를 듣고 나오는 길에 미루나무 숲에서 미르 미르륵 우는 매미 소리를 듣는다 그 소리는 매미이이 매해해라는 염소 우는 소리를 기억하고 플랫폼을 떠나는 기차 소리 매앵으로 시공간을 확장한다

사라짐(단절:미륵강좌)-새로움(연결:매미소리)-사라짐(단절:매미소리)-새로움(연결:염소소리)-사라짐(단절:염소소리)-새로움(연결:플랫폼)로 이어지는 사유는 무의식적 자유 연상으로 나아간다

이는 결합되고 확산되면서 마지막 연에 이르러서는 서로 비슷하면서도 같은 소리들로 뒤섞이는 과정에서 같은 리좀(뿌리줄기)에 근거한 통합성을 찾는다 각각의 소리는 부분의 작은 요소와 유기적인 관계를 지닌다

큰 흐름에서 보면 그 유기성은 상실된다 부분 부분을 차지하는 각 공간의 사물들은 완벽하게 그 공간에서 존재하지만 이 부분은 다차원적 공간에서 다발적으로 발생하며 비선형적으로 나타났다 사라지는 점은 마치 커다란 상상의 덩이에서 포도송이처럼 현실-가상-현실 세계로 링크된 모습을 연상한다 그 각각의 부분들은 화자의 내면에서 미르-미루-매미-매해-매앵이라는 매미 소리의 유사성을 근거로 확산되는 가운데 생명력을 얻는 통합적 구조로 나아간다

간밤에 잔뜩 비 맞은 북한산 계곡이
큰바위 철철 작은 바위 콸콸 돌멩이 출출 왕모래 줄줄
　　　　　　봄날 무의식의 정거장에서

서로 몸 껴안고 데굴데굴 기대고 도르도르 포개고 찰
찰 베고 소록소록 틈새로 계곡물이
잘잘 웅덩이가 차르륵 폭포가
흐르는 말 발 담그고 쉬는 옆에서
흐르는 말 시는 무엇을 쓰느냐가 아니라 졸졸
어떻게 졸졸 쓰느냐 졸졸 이다 졸졸 산발치까지 해넘어가도
록
밥도 안 먹고 졸졸 잠도 안 자고 졸졸
내려와 지하철역 편의점에서 커피를 사가지고
뜨거운 물을 부으려는데 물통이 말한다
물이 무˜˜척 뜨거우니 조심하세요
무와 척 사이가 북한산 꼭대기에서 발치까지다 그 사이에 뜨
거운 산의 심장이 조˜˜올졸 흐른다

-「계곡 물소리」

「계곡 물소리」에서는 계곡의 물소리라는 소리의 유사성에
근거한 언어유희와 움직이는 물의 이미지는 현실과 비현실이
의도적으로 결합된 자유 연상이 동시에 나타난다
물론 물이라는 동일성에 근거한 자유연상도 나타난다 하지만
이에 머물지 않고 물은 장소를 확장한다 우선 물소리는 계곡
에서 난다 그리고 큰 바위→작은 바위→돌멩이→왕모래를
적시고 흐르다가 웅덩이 폭포를 지나 화자가 발 담그고 쉬는
곳에서 계속 소리를 낸다 산에서 내려온 물은 지하철 편의점

봄날 무의식의 정거장에서

에서 더운 물을 내리는 과정에서 그 물소리를 다시 만난다 그리고 그곳에 표기된 무척이라는 단어는 물소리가 북한산 꼭대기에서 화자의 발치까지 이른 공간성 확장에 기여한다

또 물은 사라짐(단절 : 계곡)-새로움(연결 : 폭포웅덩이)-사라짐(단절 : 폭포 웅덩이)-새로움(연결 : 지하철 편의점)의 구조로 반복된다 그리고는 계곡에서 지하철 편의점에 이르기까지 물은 이 시에서 각 공간이나 상황을 예측하지 못하는 상황에 이르고 혼란스럽지만 물자체가 지니는 원래 의미는 여전히 시의 전반에 걸쳐 링크되어 있다

지하철 편의점에서 만난 물은 계곡물은 아니지만 상상력 속에 또 다시 가상공간을 펼쳐내고 그 속에서 시공간은 확장되는 가상현실이 된다 혼돈 속에서도 존재하는 질서처럼 상식이나 순서는 배제된다

따릉 따릉
따르 따르
딸딸
핸드폰 저쪽에 웅크리고 있다가
큰 바다를 달려와 딸딸거리는 소리
밥그릇을 빽어버리면 딸꾹 멈추다가 또 다시
밤새도록 딸꾹질을 해댔지 베개 밑에 흥건히 고여 있는 소리
딸꾹 멈추면 조마조마하다가 딸꾹 하다가 또 멈추다가
밤새도록 따릉따릉 해댔지 밥을 넣어주면
횡격막에서 거슬러오는 딸딸 꾹꾹 누르면

　　　　　　　봄날 무의식의 정거장에서

「중략」
의사는 이르지만 딸딸 밤새 숨넘어가는 소리
열 번 일곱 번 열 번 일곱 번 소리가 몸을 파고들어
불탄 물탄 소리탄
탕탕 따릉 딸 딸꾹

-「따릉 딸딸」일부

「따릉 딸딸」에서도 전화벨 소리라는 유사성에 근거한 소리의 언어유희가 나타난다 현실 또 현실에서 동떨어진 공간에서 나는 각각의 벨 소리들이 자유연상으로 표현된다 핸드폰의 저쪽에 웅크린 공간은 화자가 현존하는 공간이다
딸꾹질하는 공간은 화자가 현존하는 공간이 아니라 약이 소진된 핸드폰 소리로 연상되는 기억 속의 소리로 딸꾹질이 멈추지 않아서 힘들었던 기억이 연상되는 공간이다
즉 자유연상의 공간은 기억 속으로 먼저 확장된다 그 소리들은 다시 외부로 향하는데 큰 바다를 건너에서 걸려온 핸드폰 소리 딸딸로 거리를 확장하면서 상상 공간도 확산된다
그 소리들 역시 사라짐(단절:핸드폰)-새로움(연결:딸꾹질)-사라짐(단절:딸국질)-새로움(연결:핸드폰)을 반복한다 그런데 그 소리들은 시공간의 의미에서 보면 현존 상황에서는 한꺼번에 표현되나 한 번에 한 장소에서 나는 소리는 아니라 다차원 다시간적 공간에 속해 있다 하지만 화자의 내면에서 동시다발적으로 연상된다 연상 작용은 의식과 무의식의 혼류 속에

봄날 무의식의 정거장에서

서 만들어지며 다양한 공간 속에서 시공간 질서를 뒤섞는다 핸드폰 소리전화 벨소리 딸꾹질 소리가 혼류하는데 소리 자체만으로 느낌을 찾아가게 만든다 고장 난 휴대폰 소리는 현재 공간에서 겪는 상황이 되고 딸꾹질 소리는 또 다른 기억의 공간이거나 인지 능력 내에서 연상된 상상 혹은 공상 속의 소리가 한 공간에 나란히 존재한다

가죽옷이 팽팽하게 부푼다
공이 부푼 똥배를 땅에 댄다
공공하며 여러 번 땅에 댄다
드디어 공이 뛰다가
도시의 골목을 지난다
뛰어서 빌딩을 빠져나간다 공
뛰어서 도시를 빠져나간다 공공
뛰어서 대서양을 건넌다 공공공
「중략」
수많은 바람을 집어삼키다가 공은
이따금 공하며 비워낸다

-「공」일부

「공」에서 자유연상은 공이 움직이는 배경화면을 중심으로 이루어지는 자유연상은 영상성이 나타난다 하지만 그 의미는

봄날 무의식의 정거장에서

확장되고 강조된다 화자 가까이 있는 공은 골목→빌딩→도시로 더욱 공간이 확산되어 대서양을 건넌다

그 과정을 거치면서 공은 공공이 되고 공공공이 되었다가 다시 텅 빈공空이 된다 움직이는 공은 촉각적 감정을 지닌 댄다라는 생각의 속도가 서술어를 통해 시각적 요소와 겹쳐진다 빠져 나간다 건넌다와 같은 행동을 유발하는 서술어로 공에 대한 청각적 인지를 구체화하고 다시 비워낸다는 인지적 상황을 판단하고 그 결과 행동을 결정한다

공은 사라짐 (단절:골목)- 새로움 (연결:빌딩) -사라짐 (단절:빌딩) - 새로움 (연결:도시)의 구조로 반복된다 마치 한자리에 서서 고개를 반복해 돌리면서 스스로 대상을 투시 확대 변형하는 과정에서 이미지를 인지하는 방식이다

이 이미지는 스스로의 기억 속에서 재조합될 때 더욱 생생하게 느낀다 마지막에는 공空이라는 논리적으로 인과 관계가 없는 단어의 이미지를 사용하며 각 이미지 단위들은 독립성을 갖는다

동시에 한글공이라는 단어를 공통적으로 사용하여 정서적 통일성을 갖는다 이 경우 각기 다른 공간 이동이 나타나며 그것은 골목-빌딩-도시의 순서이거나 빌딩-골목-도시 혹은 도시-빌딩-골목의 순서라도 무관하게 그 의미 단위들이 갖는 독립성에는 큰 변화가 없다 공空에 이르러 현실에서 벗어난 공상을 만드는 이미지로 작용된다 이상에서 볼 때 조향의 초현실주의 시에서 자유연상은 자동기술법에 기초한 현실적인 관련성에서 벗어나 궁극적으로 가상공간에서 순수 세계를 지향하는 기법으로 전혀 이질적 이미지 충돌로 새로움을 구사

봄날 무의식의 정거장에서

한다 하이퍼 시는 이미지의 덩어리를 감각하게 만들며 다양한 방법으로 정서를 수용하면서 감각을 더한 상황에서 시적 공간을 확장시킨다는 점에서 차이가 난다

하이퍼 시는 감각하는(오진현) 동시에 축축한 정서적 수분(최진연)까지 지닌다 위의 김규화의 하이퍼 시는 공간의 확장성을 갖거나 링크된 시의 구조들이 보인다

또 이러한 확장성은 자유로운 가상공간으로 나아가는가 하면 각각의 이미지들은 링크되면서 비선형성과 유동성을 지니며 단어와 이미지들이 서로 뿌리줄기로 연결된 다양한 형태를 지닌 통일된 가시구조를 지닌다

이 소리는 자유연상으로 링크되는데 그 소리들은 가뿐하면서도 균형이 잡혀 있다 보이지도 존재하지도 않는 가상의 시공간조차 연결고리로 묶어 둔다 또한 그 소리들은 실존의 소리에서 나아가 기억의 소리 상상의 소리로 인식 영역을 넓히고 그 소리는 시공간을 초월하고 현실 가상 환상이 병치되고 공존하는 다선적 인지영역으로 확장된다

그 소리들은 개구리 울음 소리 매미 울음소리 딸딸 전화벨소리 계곡물 소리 등으로 링크되어 하나의 소리에 집중되어 구체성을 획득하고 결국에는 통합체 구조인 리좀에 근거된다

둘째 아크로스틱을 사용하며 그 기법에서 차이가 나타난다

아크로스틱(acrostic :踏冠體) 기법은 문장과 문장이 연결 고리 없이 넘나드는 자유로움이 있다 아크로스틱 시작법은 같은 글자로 시작되지만 어떤 내용이 이어질지 모른다

독자 입장이라면 길들여지지 않은 시법에 내용을 엉뚱하게 읽기도 하고 더러는 잘못 읽기도 한다 이러한 시읽기는 경이

봄날 무의식의 정거장에서

로우며 기괴해서 오히려 지루하지 않다

언어유희(pun)에서 나아가 웃는 여유를 갖게 한다 초현실주의 시에는 음향시(조향) 아크로스틱 시 기법 몽타주 기법 등을 사용하지만 그것은 각 행 각 연의 단절에서 오는 충격을 즐기려는 특징이 있다 하이퍼 시에는 문자 소리 이미지 같은 매개를 동원하되 절제된 링크 텍스트 그래픽이 만들어내는 영상 음악이 어우러진다(유봉근) 이 경우 종이 하이퍼 시에는 소리매개나 언어유희 등 부분적으로 연상 적용이 가능하다 인과관계가 없는 연과 연 행과 행 불연속적인 결합 유사한 소리나 단어 구문의 반복은 연상에 의해 시의 통일성을 유지한다(최진연)

누에 선반 밑에 누워서 막잠을 늘어지게 자고는
막옷 걸치고 막수건 목에 두르고 막토를 징검
징검 건너 읍내장에 닿을 때
서쪽 하늘이 막전으로 붉게 물들었네
막일 막잠이 막장꾼 A씨!
막판에 막말이 떠들썩한 술판에 비집고 들어
막담배 연기 물씬 물씬 피우다가
막 거른 막걸리 한 사발 들이키고는
막설하라 돈막대기 막설하라 소리 소리치면서
막다른 장터골목을 돌아
막걸리 대신 막국수 한그릇 후루룩 삼키고 일어나네
막 깍은 머리카락 만지며 문 밖에서 기다리는
　　　　　　봄날 무의식의 정거장에서

막내둥이 동이가 아부지!하네
구름 속에 숨은 달이 얼굴 삐죽 내미네

-「막걸리 막자」

「막걸리 막자」에서 나타나는 막자를 활용한 아크로스틱은 상투적이지도 않으면서 기발하기까지 하다 왜냐하면 이 시에는 아크로스틱 기법에서 오는 동일한 의미의 막자만을 사용하지 않았기 때문이다 이 시에서 막자는 뒤에 오는 글자에 따라 다양한 의미를 가진다 막자의 의미는 독자는 독자대로 자신의 정보와 기호를 기억에 덧붙여서 떠올리며 읽고 시인은 시인 나름의 방식으로 현실과의 관련성 속에서 막노동꾼 A씨의 하루를 묘사하면서 여러 이미지들과 관련지어 새로운 생명력을 얻는다 ①막은 이제 금방 갓이라는 의미를 지니며 막 거른 막 깎은이 해당된다 ②막은 마구라는 의미로 앞뒤를 가리지 않는다는 뜻으로 이 시에서는 막잠 막일 막잡이 막장꾼 막수건 막토막 옷이 이에 해당된다
③막은 걷잡을 수 없이 심한 굉장히 거친이라는 의미를 지니며 이 시에서는 막담배막 거르다에서 온막걸리 ④의 막은 마지막을 나타내는 말로 막내둥이가 이 의미로 사용된다 ⑤의 막은 장막을 뜻하며 이 시에서는 막전이 사용되었다
⑥의 막(莫)은 없다라는 의미로 이 시에서는 막설하다에서 쓰였다 이처럼 같은 한글 막자이지만 행과 행 상호 간의 상관성 없이 구성되어 있다

봄날 무의식의 정거장에서

막일꾼 A씨와 막내둥이의 아버지인 A씨에 대한 다시 점 이미지가 제공되는 영상성이 나타난다 동시에 막 살아온 아버지이지만 막내둥이만은 애잔하고 귀하고 반가운 존재가 된다는 점에서 잔잔한 부성애를 담아내어 독자가 감동을 느끼는 정서적 반전이 있다 서로 간에 전혀 어울리지 않을 것 같은 막자를 사용하였지만 전혀 다른 시공간에나 존재할만한 의미들을 지닌 막을 한 공간에 들여와 심연에는 서민의 삶에서 애환을 느낀다 그래서 마지막 의 막자는 막내둥이의 막자로 막자가 가진 모든 애환에서 벗어나 새로운 출발을 제공하는 행복의 문이 되기도 한다 시의 화자는 막자로 연상된 단어들이 나열되어 독자의 입장에서 보면 각기 다른 막자를 링크해나가는 무수한 경로를 제시한 셈이다

독도는 호올로 식구들에게서 떨어져나가
독 깨는 소리나 그네들에게 들으며
독이 잔뜩 든 화살이나 맞는구나
오늘은 북한산 독바위에 올라
하루종일 독이나 만지며 독을 들어 따앙 땅 두드려 볼거나
울리어 퍼지는 종소리 따앙 우리땅 막내야
반질반질 윤나는 장독대의 독을 씻네 어머니는
밖에서 놀다 들어온 막내의 얼굴을 씻기네
간장독 된장독 뚜껑을 열러 파르스름 버섯꽃 피었다며
손금 닳아진 맑은 손으로 꽃을 따내네 한나절을
독들이 밀리어 오네 독일 나치병들이 오네
　　　　　봄날 무의식의 정거장에서

거센 파도 잘게 부수어
어서 오라 어서 오라 그네들에 손내밀고
독각다리로 독각독각 물건너 오면
독나방이 되어 쏠거나 독버섯이 되어 먹힐거나
호올로 독을 주워 물장구치네
괭이갈매기 슴새가 날개를 치네

–「독으로 시작하는 독도」

「독으로 시작하는 독도」에서는 독자가 짧은 내용으로 링크
된 채 독자의 입장에서 선택하고 정리되면서 전체적인 시의
흐름을 읽게 된다 각 연마다 특별한 연결고리 없이 다양한
독자로 구성된 사물의 이름들이 모여 있다 그 독들은 각 각
홀로의 의미를 가진 독獨 나쁜 의미의 독毒 또 단지의 의미
를 가진 독이 있다 독이 홀로의 의미를 지닌 단어로는 독도
독각獨脚다리 (숭의 로터리서쪽 부근에 있는 다리) 긴 널조
각 하나로 걸쳐 놓은 다리) 독일 독바위가 있고 독이 독(毒)
의 의미로 사용된 경우에는 독버섯 독화살 독나방이 이에 해
당되며 단지의 의미를 지닌 독으로는 된장독 간장독 장독대
등이 있다
현실의 공간에서 접하는 독이 독도 독(毒)화살 독 깨는 소리
라면 장독대 간장독 된장독은 기억 속에서 생각나는 독이다
또한 상상의 공간으로 독(獨)은 독일 나치병이 되고 확장된

봄날 무의식의 정거장에서

현실로 되돌아 온 독은 독獨각다리 독毒나방 독毒버섯이다
이 시에서는 아무 이해관계가 없는 사고가 주를 이루지만 독
도 독바위에 대해 우리 땅에 대한 사랑이 그리고 독버섯 독
나방 에서는 독에 대한 불안의 요소가 된다
장독대 된장독 간장독에서는 어머니에 대한 그리움이 독일
독각다리에서는 불안하고 혼란스러움 등이 시인 내면에 존재
하는 독자로 된 감정들이 정서적으로 자연스럽게 교접되면서
다원화되고 개인적 감성이 더해진 현실적으로 간섭에서 자유
로운 세계를 보여준다

와이셔츠만 입은 사람들이 모여 밭고랑을 판다
선글라스의 그 안이 안 보인다
전자(田字)를 잉태한 배부른 빌딩
전자 위에 전자 전자 위에 전자
전자 위에 전자 밭 아래 밭 밭 아래 밭
밭아래 밭 전자가 많이 모이면 큰 회사
아이는 하루 종일 종이에 전자를 그리며 회사라고 한다
중국 아이가 찐찐錢錢하며 흉내를 낸다
스트레스로 시름시름 앓다가 원주민 아보리진은 부두
데스(voodoo death!) 호주가 전田을 빼앗고 전錢을 주지 않
는다
빌딩에는 수많은 전자 전자 위에 내려와
바둑을 두시는 수염 긴 하느님
하늘 천정에도 바둑판을 그려 놓는다 사람들을 찬찬히 내려
다보신다

봄날 무의식의 정거장에서

「전田 회사」에서는 전으로 이루어지는 단어들이 갖는 의미는 경계가 없이 확산된다 그래서 다소 혼란스럽다 하지만 전이라는 다양한 이미지 덩어리를 한 곳에 풀어 두면서 전통적인 서정시에서 받는 메시지와는 전혀 다른 단어가 지닌 본래의 의미로만 전달받게 된다 높은 빌딩에 층층이 들어앉은 전자電子 회사를 보고 창모양이 만들어 낸 전田이라는 언어를 떠올린다 그리고 곧 기억 속의 층층밭을 떠올린다 아이가 밭 전田자를 쓰면서 회사라고 하는 상황을 상상한다 공간이 확장되어 원주민 아보리진의 전을 데려온다

전이라는 단어로 다양한 개념이 링크되고 나쁜 호주나 여유로운 하느님 구경꾼 등을 언급하는 정서적인 면도 표출된다 이들은 중심이 없이 각각에서 표출되는 의식과 기억의 흐름 속에서 산발적으로 퍼져 있으며 시공간의 경계가 없다

그래서 전田은 전電이 되고 또 전錢도 된다 매우 다양한 형태를 지닌 전田 전電 전錢들은 좋은 이미지에서 나쁜 이미지까지 모두 전이라는 단어의 유기체 속에서 서로를 포함하고 연결한다 좋은 감정과 나쁜 감정까지도 한데 뒤섞이고 이 광경을 바라보는 하느님 모습도 위트있게 그려낸다

비비고 비비고 비빈다

　　　　　봄날 무의식의 정기장에서

24

비비안리도 엿보고 비도 비비비 두세방울 뿌린다
오래 서 있던 내 다리도 비비꼬여서 바라본다
싸움질하는 두 남자가 서로 멱살을 잡은 채 바라본다
아라비아인 당나라인 한국인 동남아인
둥근 비빔밥 그릇에 섞여
참기름 고소한 지구

-「비빔밥」일부

「비빔밥」에서는 시인의 기억 속에 내재한 비자를 중심으로
흩어져 있는 여러 단어들을 한 공간에 데려온다 비비는 현실
비비고는 시인의 기억 속에 내재한 현실이며 이들은 행위-인
물-사물-행위 등으로 현실에서 통합성을 추구하면서 나아가
비빔밥으로 그 의미 영역을 확대한다
그리고는 고소한 지구로 비자의 의미는 더 확장되고 시공간
의 영역도 확산된다 한 단어에서 연상되는 이미지가 비비고
비비안 리 비 비비 꼬여서 비빔밥은 이어지지만 각각의 비자
가 지니는 의미나 관념에는 어떤 유사성이나 관련성이 대부
분 없다 그래서 독자의 입장에서는 비라는 언어 자체만 즐기
면 된다 또한 고소한 지구라는 후각과 미각과 같은 감각적
요소들은 독자에게 전달된다 비라는 단어는 기억 연상 인출
의 과정을 거쳐 표현된다 각기 다른 이미지에서 출발했지만
결국 비빔밥은 부호화되고 저장 인출의 이루어지는 연속과정
으로 기억된다 그렇지만 어수선하거니 혼란스런 느낌이 없이
비빔밥을 링크한 명확한 분류가 편안함을 주는가 하면비라는
봄날 무의식의 정거장에서

단어 중심으로 순식간에 유사한 관계의 흐름을 연결하고 정리한다

뚝별씨의 저녁밥상 위에서
뚝배기가 보글보글 끓어오른다
반질거리는 제 거품 들썩이며
불쑥 불쑥 볼멘 소리를 한다
-뚝별씨는 뚝뚝합니다
뚝배기보다 장맛이 좋습니다 독도는 뚝섬입니다
아가리가 넓고 속이 깊은 뚝배기의 운두에
뚝별씨는 손을 얹으며
뚝별스레 생방송을 한다

-「중계탑」일부

「중계탑」에서는 뚝뚝뚝 별씨 뚝배기 뚝별스럽다 뚝별스레 등으로 뚝 자를 중심으로 서로 무관한 내용들이 쓰인다 특히 이 시의 후반부에서는 불연속성과 단절을 전제로 비선형적인 언어들이 상호 긴밀감이 배제되지만 전체 맥락은 서로 연결되는 방식으로 쓰였다 서로 다른 뚝자를 사용하여 시인의 의식 속에 내재된 뚝자와 관련된 사람들을 떠 올린다 전혀 다른 별개의 사람들의 이야기지만 결국 뚝과 관련된 뚝별씨의 일상이라는 뿌리줄기에 근거된다 여러 방향으로 뚝을 찾아가

봄날 무의식의 정거장에서

는 링크 방식이므로 독자의 입장에서는 헷갈리지 않고 뚝별 씨에 한정되어 있어 각각의 정보들이 명확하게 나누어져 있다

다만 링크가 서로 다른 행동을 하게 만드는 데 그로써 뚝별 씨의 일상들은 오히려 단순한 가지치기를 통해 독자에게는 쉽게 읽히는 효과를 준다 일체의 관념적 요소가 배제된 이 시는 뚝자로 시작된 일체의 대상에 대한 감각과 인식의 인지 단계를 벗어나 나열에 그치지 않고 볼멘 소리가 뚝뚝합니다 등과 같은 정서도 수용하여 독자는 뚝별씨를 마치 독자가 잘 아는 사람처럼 친근하게 여기게 된다

이상에서 조향의 시에 나타나는 아크로스틱은 낯선 충돌과 그 충돌된 이미지가 유발하는 경이로움을 따르고 현실에서 동떨어진 단절을 부르고 있어 공감대 형성이 원치 않는 의도 가 담긴 시라면 김규화의 시에 나타나는 아크로스틱은 순간 적인 절연에 그치지 않고 각각 단어들이 링크되어 각각은 최 소한의 연결고리를 갖는다

또한 각각의 단절과 불연속의 연결부분들이 유기적으로 결합 되어 이질적인 이미지들이 조건없이 결합되어 현실과 비현실 을 넘나들고 자유롭게 상상하지만 현실과 통합되고 감성을 표출하며 독자에게는 새로운 시읽기 방식을 제공한다

셋째 데빼이즈망을 기법을 중심으로 그 차이를 살펴본다 데 빼이즈망을 기법은 초현실주의 화가 마그리트가 콤바인 오브 제(Combines objects)에서 사용한 기법과 흡사하며 관념화 된 삶의 일상에 인식의 폭을 한층 넓히는 기회를 제공한다 이 기법은 현실과 몽환 사이를 넘나들면서 시각적 등가물을

봄날 무의식의 정거장에서

제시한다 이미지 간의 거리는 멀수록 효과는 크다
주변의 낯익은 사물들을 일상적 맥락에서 떼어 놓아서 낯설음을 구하는 동시에 기존의 사고에서 풀려나는 의미 자체를 초월하려 한다 현실적 연상을 뛰어넘어 정신적 전위(데빼이즈망)로 표현되며 몽상적 공간의 데빼이즈망은 가시적인 이미지에 극도의 혼란을 야기하는 몽환 효과도 가져온다

사각사각 서걱서걱
내 손과 그의 몸이 만들어내는 싱싱한 현장은
그러나 손을 떼면 소리도 사라져
멈칫 지구를 떠난다
지구는 둥글다
옆구리에서 옆구리로 깎이고 깎이어
가늘고 길게 드러눕는 껍질이
속삭이듯 소리를 다오
소리를 다오
고요하던 그의 목울대에서 리듬이 새어 나온다
축구공을 붙잡으려는 박지성의 절룩이는 두발도
리듬을 탄다
果刀를 탄다
내 손에 힘을 주어 새콤달콤한 그의 몸에 닿을 때만이
들릴 듯 말 듯 소리를 탄다
두 손에 움쑥 안겨 옷을 벗는 사과 홍조를 띤다

봄날 무의식의 징거장에서

「사과 벗기기 」

「사과 벗기기 」에서는 몽환적 기법이 데빼이쩨되어 있다 사
과를 벗기는 현실적 이미지와 둥근 지구의 옆구리를 깎는 상
상의 비현실적 이미지가 의도적으로 결합되고 박지성의 절뚝
거림에 이르는 여러 이미지들은 서로 뒤섞이면서 결합되고
공존하는 다선구조가 나타난다
화자는 현실의 공간에서 사과를 깎다가 불현듯 지구의 둥근
모습을 생각하고 다시 박지성의 축구공이라는 새로운 경로를
생각하다가 다시 사과 깎는 현실로 돌아오는 서로 이질적인
내용을 연결하는 고리는 원이다 이들은 원은 동일한 세 덩어
리가 병렬식으로 나열 관통되면서 새로운 감각을 발산한다
시각적 이미지를 청각화하고 다시 기호화하는 과정을 거친다
단지 사과 깎는 행위에서 인간의 내면으로 향하는 시선이 포
착된다 하지만 그의 시에는 둥글다는 리좀에 근거하여 시공
간이 확장되고 이동되면서 중심이 없는 모든 것이 중심이 되
는 연결고리로 관계 맺는다
나아가 시간과 공간을 초월하고 현실과 비현실을 초월한다
또 현실과 단절되어 있지만 그 단절은 불연속적이고 또 어디
서나 다시 시작 가능한 지점에서 리좀으로 연결된다 이 시에
서는 지구나 사과가 시인의 의식 속에 데빼이쩨된다 낯익은
사과를 뜻밖의 장소에 두어 읽는 이의 잠재의식 속에서 기존
의 의식의 틀을 해방시키려는 방식을 택한다
그의 시는 어떤 부류에서든 불규칙성을 나타내지만 대조나

봄날 무의식의 정거장에서

집중의 특정 효과를 얻기 위한 형상이나 형태의 배열이 비형식적 구조 Informal Structure로 나타난다 그런데 이 구조는 특별히 동일 의미를 지니지 않는 사물들이 무연으로 링크되어 다른 언어가 이합체를 이루어 원의 새 의미를 발산한다

황급히 사과를 줍는 아탈란테의
유방은 사과보다 붉그다
사과를 만지고 있는 과일장수 여인은 사과가 얼굴이다
빨간 얼굴에는 파란꽃 피고
노란얼굴에는 흰꽃 피고 초록얼굴에는 보라꽃 핀다
히포메네스가 내던진 사과 셋을 다 주을 때는
그와의 경주에서 무너지고 아탈란테는 아내가 된다
고개 속인 그녀의 진홍색 머리카락이 민 어깨로 흘러내
려 대리석 흰 피부를 물들인다
과일장수 여인은 배나 감이 얼굴이다
면장갑 손으로 만지고 또 만지고 닦고 또 닦는다 노랗
고 통통한 배 말랑말랑한 홍시가
달린 팔과 다리가 사과나무 배나무 감나무다
길 가는 사람의 얼굴에 과일나무 가지가 뻗친다
가지마다 송송 매달린 해 한 아이가
물총을 쏘고 달아난다
여인의 얼굴이 환하게 씻긴다
해를 하나씩 다서 열 개 스무개 바구니에
피라미드 올린 아슬아슬 쓰러진다

봄날 무의식의 정거장에서

과일장수 여인은 얼굴이 사과다
양볼에 사과 하나씩 매단다
볼그족족 동글동글 아탈란테의 유방이다

「과일장수 여인」

「과일장수 여인」에서는 현실 공상 초월공간에는 의식과 무의식이라는 이중구조가 투영되는 기법이 쓰였다 마치 사과 집는 장면들은 그림같다

과일장수 여인을 주인공으로 하여 빨강 파란 노란 흰 초록 보리 등의 극명한 원색들은 대비되면서 현실을 벗어나 몽환의 세계로 진입한다 화자가 주도하는 시선을 따라가다 보면 어느 틈엔가 과일장수 여인은 아틀란테가 되어 현실과 환상은 겹쳐진다 과일장수 여인과 아틀란테가 혼동되는 심리 상태에 이르고 이어 지속되는 몽환의 상황으로 현실에서 벗어나고 다시 현실로 돌아오면 과일장수 여인조차 얼굴이며 팔다리가 추상적으로 변화된 모습을 묘사한다

현실에서는 만나자 못하는 과일장수 여인과 아틀란테를 의도적으로 만나게 한 데빼이즈망 기법은 예상외의 환상성을 자아낸다 또 일상에서 흔히 만나는 과일장수 여인의 인체를 전혀 예기치 못한 과일과 과일나무로 자리바꿈시키는 과정에서 뜻밖의 이미지를 형성하고 무의식 속에 잠재된 환상성을 일깨운다 과일을 파는 여인의 얼굴은 사과를 닮은 점 아탈란테의 유방은 사과보다 붉다는 두 이미지가 나타난다

봄날 무의식의 정거장에서

그리고 다시 아탈란테의 유방을 사과와 겹쳐 생각하는 환상
성이 보인다 그리고 여인의 얼굴은 사과가 되고 그 얼굴은
파란꽃 흰꽃 보라꽃이 피는 등 색감을 겹쳐 표현했다

결국 이미지의 집합체인 사과를 매개로 자유로이 과일장수의
얼굴에 해당하는 의식 세계와 아탈란테의 유방을 떠올리는
무의식적 가상 세계가 공존하는 과일가게를 보여주고 과일장
수 얼굴을 열매로 그녀의 팔다리를 나뭇가지로 자연스러운
이미지의 링크를 따라 가노라면 과일장수의 팔다리는 행인의
얼굴에까지 뻗친다 비연속적으로 링크된 사물들은 각각 무연
한 듯 묘사되지만 궁극적으로는 다중 다선형성을 지니며 시
작도 끝도 불분명한 채로 두 이미지가 상호작용되는 가운데
하나의 경로로 연결된다 빈번하게 사용한 과일과 색깔 이미
지들은 과일장수와 아탈란테를 한 공간에 들여와 시의 흐름
을 동서양 과거 현재를 넘나들면서 시각 후각 미각을 자극하
는 정서를 함축하는 의식 세계를 함께 표현한다

으악 이렇게 많이 떼지어 몰린
하늘공원의 새 으악새
피는 말리고 몸은 길쭉하게 하늘로 뻗어 그대로
바람을 썰어 칼질을 한다
썰려 나간 바람들이 서로 부딪쳐
스스스 산산산 흩어지다가 스산
다시 몰린다
이집트 사막에서 미라들이 떼지어 날아온다

　　　　　　　　　　봄날 무의식의 정거장에서

짙은 화장과 부릅뜬 눈을 벗어버리고
코핀 안에서 흰붕대에 감추어 두었던
오랜 기다림을 벗어버리고
평화호수 속의 평화를 바라본다
물억새 꽃차례가 낙타주둥이처럼 흔들거리는 황혼속이다
갈상자 하나가 평화 호수의 갈밭에 걸려들어
산보하는 바로와의 젊은 딸이 머문다
건져올린 시녀들과 그 안에서
포대기에 싸인 채 울어쌓는 스산스산
아기 모세다

-「스산한 날」

「스산한 날」에서는 한편의 완성된 그림 속으로 빠져드는 가상 공간의 세계를 환각적 영역으로 시공간이 확대된다 현실 공간 속에서 생생하게 관찰하고 그것에 환상적 표현을 더해 대상을 축소시켜 사실성을 만든다 구상과 추상이 뒤섞인 현실 공상 초월의 공간들이 혼재되어 쉽게 읽혀지지 않는다 단절에서 오는 무의식의 일부들을 시공간을 확대하여 펼쳐진 느낌이다 오히려 뜻하는 바를 알 수 없는 모호함이 몽환의 세계를 강조한다 물론 경계가 불분명하다

경계를 넘으면 또 다른 새로운 상황이 펼쳐지면서 이전의 상황과 분리되는 링크에 링크가 꼬리를 물면서 진행되는 가운데 낯선 이미지들이 나타난다 하늘공원의 으악새 평화호수 갈밭아기 모세는 서로 한 시공간에서 공존하지 않고 서로가

이질적이지만 의도적으로 만나게 하여 예기치 못한 상황들은 낯선 이미지를 빚어낸다 하늘공원 으악새는 현실 속의 스산함으로 평화 호수 속 갈밭 모세의 출현은 상상 속의 스산함으로 표현된다 시의 단어는 어떤 내용을 담아 어느 방향으로 나아갈 지 불분명하다 인간이 처한 상황에서 벗어나려는 자유로움이 현실 속에서 통합성을 일깨우려 한다는 점은 알게된다 예술과 무관한 물건 혹은 본래적 일상적 용도에서 떼어내어 그 속에 잠재하는 환상성을 부르는 단어는 스스스 산산산이다

또 하늘공원 이집트 평화호수는 같은 시공간에 존재할 수 없지만 한 지면에 묶고 결합하여 원래의 익숙한 장소에서 보던 사물은 다른 장소에 들여 놓아 새 이미지를 구축한다

햇빛은 무색이다가도 단풍나무에 가 닿으면 단풍
잎이 된다 노랑은 노랑 금빛 빨강은 빨강 금빛
갠지스 강가에 쌓아 놓은 나무더미에 빨간 불꽃을 당긴다
빨간 불꽃에 금빛 영혼이 하루종일 반짝이며 탄다
아무 말 없이 타는 시체 위로 허공에 고루 숨어 사는 햇빛이
모조리 몰리어간다 타다닥 탁탁 단풍무더기 햇빛은 단풍을
좋아해
단풍에 닿자마자 크게 웃어
마릴린 몬로는 입을 약간 벌리고 닿자마자 크게 웃어
신사의 가슴에 올려 놓는다

봄날 무의식의 정거장에서

-「신사는 금발을 좋아한다」

포스터를 보는 18살 소녀도 크게 웃어
학교가 끝나면 곧바로 동방극장엘 갔지 내 친구와 몰래
웃음소리가 크게 퍼지고 먼 마을로 간 마릴린 몬로가
타는 단풍 속으로 들어와 앉는다 햇빛이 심지를 돋운다

-「햇빛과 단풍」

「햇빛과 단풍」에서는 현실 공간의 빛이 들어와 가상공간은
현실로 바뀐다 다시 다양한 빛들이 현란하게 펼쳐지면서 상
상세계는 몽상으로 또 다시 현실로 넘나들며 의식과 무의식
의 경계를 허물고 사고의 자유로움을 구사한다
햇빛이 단풍나무에 닿는 순간 붉은 단풍잎으로 빛이 나는 과
정은 노랑-금빛-빨강-금빛을 거쳐 몽환의 세계로 진입한다
는 신호를 보낸다 갠지즈 강가시체 그리고 곧 다시 단풍잎은
몬로의 입으로 연상된다
자신의 과거로 돌아가고 마침내 과거 현재 가상이 햇빛 비치
는 단풍잎 위에서 몽환의 세계로 나아가 하나가 된다 불꽃
단풍 몬로는 서로 이질적이지만 붉고 붉은 것은 열정과 뜨겁
다는 논리로 묶인다
햇빛 단풍 몬로의 입은 각각 붉은 색을 공유한다 반복적으로
나타나는 그 붉음들이 다시 활용되는 과정에서 독자라면 다
소 혼란스럽다
봄날 무의식의 정거장에서

붉음으로 어지러운 화면이 교차되면서 이중 환각 이미지 상태를 이끌어 낸다 어디가 중심인지 알지 못하는 논리로 자동기술 상태를 끌어들이되 이성의 개입없이 미의식에 대한 흐름이 무의식을 토대로 표현되지만 의식과 무의식 시인과 독자의 경계가 허물어지며 붉은 빛은 뿌리줄기에 공유된다

알프스에는 바람이 보인다
영하 삼십도의 바람이 흰으로 보인다
설산은 나를 보여주고
둥글둥글 상형문자를 쓴 빙하기가 나를 보여준다

흰은 알프스의 속살처럼
알프스의 거친 뼈를 몽글게 덮는다
내 눈이 닿는데까지
순수의 흰살로 덮는다 부끄럽다
흰흰흰 희희희 히히힝 말울음을 울면서
「리더 알프」는 먼 우주에서 달려와
이제 막 먼지를 턴 신생의 별
흰으로 꽁꽁 알몸을 덮고 빛나지만 따뜻하지 않아
설산의 등산객은 옷깃을 더 여미고 앞사람이 내어 놓은 발자국길을 한줄로 따라
설피 신은 발을 설핏 들어올리면
하늘이 침침하게 다가오고
흰이라는 알프스는 그대로 흰

봄날 무의식의 정거장에서

「흰」에서는 시 전반에 걸쳐 희다는 소재로 연결되어 있다 하지만 1연에서는 친숙하기보다는 일상상의 친밀성이 배제된 채로 짐작 가능한 공간에서 들여온 사물들만 표현된다 2연에서는 엉뚱한 장소에 옮겨 놓아 낯설고 엉뚱한 거리감을 촉발시킨다 3연에서는 전혀 어울리지 않는 흰-힝에 이르는 말울음소리를 들여와 시공간을 초초하게 만드는 효과를 부각시키지만 독자 입장에서는 괴리감을 느끼게 된다
어느 곳에서도 존재하지 않는 사물을 흰으로 끙끙 알몸을 덮고 등으로 아주 세밀하게 표현하여 사실처럼 느끼게 하지만 다소 혼란스럽고 당혹감을 갖게 된다
곧 신발자국길 같은 일상 속에서 흔히 사용되는 단어들로 친밀감을 부추긴다 이들은 같은 시간 같은 공간에 현존하지 않으며 내면에 링크되어 내용들이 서로 유용하게 작용한다 각 연의 이미지들은 알프스 말울음 설산 등으로 전혀 연관성이 없는 새로운 리좀들이 나열된다
순수의 흰살로 덮는다라는 구체적 사유와 부끄럽다라는 감정적 사유가 나타난다 다만 흰색이 이들 사유를 덮거나 겹쳐지게 한다 그리고 그 시선은 각각 다른 곳을 향한다 복잡하고 각도에 따라서 다른 모습이 보인다
이러한 시의 기법은 알프스 산과 관련된 내용들을 다양한 각도로 나누고 펼쳐서 마치 하나의 화폭 위에 펼쳐놓고 관찰하

봄날 무의식의 정거장에서

듯 표현되었다

다만 흰색이라는 공통된 색감이 전체의 통합성을 불러내고
차갑다는 흰 눈의 이미지에서 흰-힝이라는 말울음 소리로 이
어지는 정서는 신비로움을 아우른 정서적 공감대가 나타난다

하얀 눈 운두의 세숫대야에
괸 파란 옥물 간밤에
몸 담갔다가 솟은 에베레스트는 보석이다
큰 발자국을 내면서 성큼성큼 다가온 설인雪人이
몸을 구부려 세수를 한다
구부린 허리뼈에서
호수의 절규가 쏟아진다
아-야-어-오- 하고 엄홍길의 소리가 받아낸다
아-야-어-오- 하고 설인의 천년 묵은 목울대
소리가 잇는다
초등학교 음악선생님이 소프라노로
내 목울대 틔울 고드름 먹여주고
설인은 제 몸 부수어 제 몸 감추고
에베레스트로 엘리베이터로 올라간다
인형들이 고층 옥상에서 발성 연습을 하다가
눈송이처럼 땅에 떨어진다
엄홍길의 세수한 이마에서 새벽 고드름이 떨어진다

-「고쿄호수」

봄날 부의식의 정거장에서

「고쿄호수」에서는 실제 속에서 존재하지 않는 세숫대야 파란 옥물 등을 들어 마치 사실인양 착각하게 한다 그 점은 세수 허리띠 엄홍길 같은 일상에서 친숙한 단어들을 사용하는 과정에서 더욱 당혹스럽지만 오히려 친밀하게 다가온다

또 우리 일상 속에서 겪는 다양한 삶의 방식을 되돌아보게 만든다 외부의 먼 공간에서 들어온 사물을 친숙한 단어와 더불어 공감을 이끌어 내는가 하면 또 어느새 자신의 내면으로 달아나 버린다

장면전환을 위한 서술어는 시공간의 이동을 나타낸다 담갔다 가쏟아진다받아낸다잇는다먹여주고감추고올라간다떨어진다 등과 같은 서술어는 끊임없이 움직이고 아래 위로 섞이는 다차원적 상황이 혼란스럽기까지 하다

고쿄 호수의 정경과 생각 속에 존재하는 설인이 살아 움직인다 그리고 의식세계에 존재하는 엄홍길의 존재가 설인과 말을 주고받는 가상적 상황에 놓인다 이런 상황들은 꼬리를 물며 가지치기 하며 가상 공간을 확장한다

다시 자유로운 의식 공간을 넘나들면서 초등학교 음악시간 선생님의 발성연습을 연상하고 그 기억 속으로 빠져든다 인형 엄홍길 설인 선생님이라는 관련성이나 공통점이 보이지 않는 별개의 인물들이 연속적으로 등장하여 제각각 링크되지만 그들이 내는 소리는 유사하다

그 소리는 주체도 객체도 위계질서도 없는 시공간의 차별이 없는 새로운 세계로 향한다 공통적 느낌은 차가운 고드름으

봄날 무의식의 정거장에서

로 더불어 생성되는 혼란스러운 상황 속에서도 그 소리들은 동일한 방향성을 갖는다

이상에서 볼 때 초현실주의 시는 이질적 이미지를 충돌시켜 새로움을 얻는 낯선 충격을 구사한다 조향의 시「Episode」에서 데빼이즈망 기법은 혼란스러운 현실을 전달하되 현실을 초월하려는 방식으로 택하였으며 이는 의식과 무의식이 포함된 이질적인 이미지들이 이전의 의미들을 배제한 채 한공간에 배치되어 충격적인 낯설음을 추구하였다

따라서 무의식적 비이성의 세계를 지향하고 비논리성을 추구하는 자유연상 충격적 병치 등을 사용하여 이성적인 사고보다는 자유로운 정신을 표현하였다 반면 하이퍼 시는 이질적 이미지를 나열하되 집합적으로 결합(하이브리드 구현)을 기본(심상운)으로 삼는다 낯선 이미지는 모듈과 리좀을 갖는다 따라서 중심은 없지만 때로는 모두가 중심이 되기도 모두가 시작점이 되기도 한다

김규화의 시에서도 데빼이즈망 기법이 사용되어 단어들이 인과관계나 통일성은 없다 더구나 각각의 이미지를 이루는 단어마저도 현실 공간들을 지워내면 불연속적 이미지들은 남아서 서로 연결되어 전체를 하나로 통합된다 그리고 복잡하게 빠른 속도로 링크가 양산된다

그 링크들은 극도로 혼란스럽지는 않다 왜냐하면 각각의 링크들을 따라가면 이 결합들이 주제를 표출하는 데에 그치지 않고 다양한 방향으로 새로운 이미지를 펼치지만 주된 뿌리 줄기로 연결되어 있기 때문이다

넷째 옴니버스식 표현 기법에서 오는 차이점이 나타난다 옴

니버스omnibus식 기법이란 각 연별로 하나의 주제 아래에
각 이야기마다 독립된 내용과 등장인물을 지닌다 또한 시공
간이 교차하면서 발생하는 여러 가지 이미지들을 단편적인
기억이나 내용들을 혼합해서 생생하게 전달하는 방식을 특징
으로 갖는다

경기도 콩나물 공장에서 배달해 콩나물을 비린내
안 나게 삶아서 무쳐 한 조금 놓는다 콩나물 대가리를
맞추어 화성악을 배우기란 참 어렵지요
당나라에서 공수해 온 긴 원추형 당근은 짧게 채
썰어 볶아서 한 조금 가지런히 놓는다 골목길을 돌아 달
아나던 소녀의 홍당무가 된 불 그건 당근이지요
흰 솜털로 덮인 어리디 어린 주먹고사리를 한바구니
꺾어다 고동색으로 말리고 삶아서 볶아 놓는다 할머니가
말씀하세요 고사리도 꺾을 때 꺾는다 어서 갔다 오너라
쇠고기 다져 동글동글 버무레기 만들어 볶아서 고물
같이 놓는다 우리집 암소는 우리 안에 앉아 반쯤 눈감고 제
밥을 꺼내 되씹지요
새파란 시금치는 동남아에서 왔나 살짝 데쳐서 나물
무쳐 놓는다 아버지가 말씀하세요 시금치 먹고 어서어서
크거라
벽자색 꽃도 고운 도라지의 하얀 뿌리를 가르고
갈라서 볶아 놓는다 도라지뿌리보다 더 고운색 이마를
가졌기에 그녀는 심마니에게 붙들려가요
　　　　　봄날 무의식의 정거장에서

타원형 꼴에 끝이 뾰족한 고추 어쩜 이리 이파리와 똑
같은 색일까 어느새 또 빨강이 됐을까 매워서 괴로운
고초(苦草)로 어머니는 해마다 새빨간 고추장을 담가 비빔
밥에 넣어요
비비고 비비고 비빈다
비비안리도 엿보고 비도 비비비 두세방울 뿌린다
오래 서 있던 내 다리도 비비꼬여서 바라본다 싸움질하는 두
남자가 서로 멱살을 잡은 채 바라본다
아라비아인 당나라인 한국인 동남아인 둥근 비빔밥 그릇에
섞여참기름 고소한 지구

-「비빔밥」

「비빔밥」에서는 각각의 연들이 각각의 다른 서사성을 띠지
만 결국 그 내용들이 추구하는 집합점은 비빔밥이라는 공통
된 단어에 링크된다
현실적 공간과 시간적 질서를 뛰어넘는 상상의 세계를 담은
이 시는 비빔밥에 들어가는 요리 재료들을 리좀으로 보고 비
빔밥에 들어가는 각각의 재료들이 어디서 왔으며 어떻게 조
리되는지 링크해 가면 곧 세부 내용들을 잘 알게 되는 방식
으로 쓰였다
단절과 교차가 반복되는 과정에서 소통에 이르는 다층적 사
유가 나타난다 전혀 이질적인 것들로 각 연은 이루어지지만
그 각각의 이미지들은 단절되지만 또 그 이미지를 링크하면

봄날 무의식의 정거장에서

곧 새로운 공간과 연결된다 결국은 비빔밥이라는 하나의 뿌리줄기에 연결된다

그런 과정에서 보면 콩나물당근고사리쇠고기시금치도라지고추등은 서로 이질적이지만 비빔밥이라는 단어로 또 연결되고 그 구성 단어들은 각각 언제든 클릭하면 출구를 새롭게 만들고 그들이 통합하면 비빔밥의 재료가 되는 다선구조 속에 연결고리가 있다

각각의 이미지들은 그 자체로도 현실과의 관계 속에서 위계질서는 없이 각각이 지닌 이미지만으로 생명력을 얻는다 비교적 친근한 단어들이 식욕과 관련되고 미각 시각적인 정서와 공통된 사유를 한다는 점에서 독자에게는 편안하게 와 닿는다

나아가 친근한 일상 속의 이미지 조합으로 이루어져 있어 각각의 이미지는 단절되어 있지만 곧 전환되면서 링크되고 소통에 이르는 통합성을 획득한다

유모차가 온다 오후 새참 때 유모차에서 내린 딸아이가 헬스 기계에 올라타겠다고 떼를 쓴다 "응 그래"엄마는 덥석 딸을 올려준다
나는 이들이 밀고 들어오도록 버티어준다
중이염 남자가 햇빛이 귓속 깊이 들어가도록 고개를 꼬고 앉는다 "태양 방사성이 균을 터뜨려버린단 말야"
나는 그를 햇볕 쪽으로 더 옮기어 준다
뚱보 여자가 허리를 몇 밀리미터 줄여보려고 트위스트

봄날 무의식의 정거장에서

원반에 몸을 올린다 그녀 하얀 손등에 느닷없이
똥을 뿌리고 달아나는 딱새 한 마리
나는 안보일 때까지 날아가게 해준다
지나가는 생선차 뒤따르는 과일차 꽃게요 속이 꽉
찬 꿀 꿀 꿀 참외 꽃게! 끝내주게 달다니까요! 서로 목
청 돋우는 마이크 소리
나는 시끄러운 마이크 소리도 빨아들이고
나는 다 가슴으로 안는다
벌집 가슴 산골짝 가슴 숲속 가슴
마침내는 안 보이게 숨겨준다

–「쪽공원의 쪽공간」

「쪽공원의 쪽공간」에서는 쪽공원을 중심으로 펼치거나 펼칠
가능성이 있는 이미지가 리좀된다 어느 한 상황이 사라지더
라도 전체를 구성하는 데 있어 어떤 영향도 미치지 않으며
끊임없이 다시 시작 가능한 내용이 펼쳐진다 쪽공원에 온 사
람들로는 유모차를 끌고 온 딸아이와 엄마 중이염에 걸린 중
년의 사내 뚱보 여자 생선장수 등이다
이는 같은 공간에 존재하지만 각기 다른 상황에 처해 있고
또 각기 다른 행동들을 한다 그 행동은 어느 한 순간에 일어
난 장면이라기보다는 이전에 혹은 현재에 혹은 이후 미래의
어느 날에 일어날 가능성이 있는 장면으로 화자는 마치 쪽공
원이 된 양 모두를 끌어안고 품는다 마치 눈에 훤히 그 광경

봄날 무의식의 정거장에서

을 보는 듯 하다

그 광경은 현재의 광경이거나 가상공간의 광경 혹은 과거의 어느 시간대에 있었던 광경이라는 시공간의 넘나듦이 존재하는 다선구조방식으로 표현되었다 현재든 가상공간이든 상상공간이든 무관하게 이미지들이 쪽공원이라는 한 공간에 집합되었다 마치 기억 속에 들어 있는 단어들을 되새겨 현실과의 관계 속에서 표현하여 생명력을 얻는다

이상에서 초현실주의 시는 각각의 내용들이 각각 다른 지향점을 추구한다 그래서 혼란스럽고 복잡하며 난해하기까지 하다 조향의 시에서는 각 연 각 행마다 의미와 이미지들은 단절되고 통일성을 상실하였으며 이로써 혼란한 내면 세계와 화자가 처한 현실 세계의 복잡함을 전달하려 하였다

하이퍼시의 경우 각각의 연들은 다른 내용들을 구사하여 어떤 면에서는 이해되기도 하고 어떤 부분에서는 쉽게 이해되지 않지만 공통된 뿌리줄기에 기인된 통합성을 지닌다

김규화의 시는 각 연마다 달리 표현된 비선형적 이미지들이 하나의 연결고리를 가지며 그 연결고리는 자칫 단절된 각 연들의 이미지들을 묶는 동시에 서사적인 영상성이 나타난다 동시에 이러한 이미지들은 현실과의 관계 속에서 생성되고 생명력을 얻는다

결론적으로 보면 김규화 시집 『날아가는 공』(시문학사)은 첫 개인 하이퍼 시집이라는 점에서 시문학사적 의의를 지닌다 그의 시집에 수록된 시들은 고도로 고심한 단어들이 기억 재생 가상 환상의 과정 속에서 표현되어 있다

이는 전통적 서정시가 지닌 소통에서 오는 감동의 미학과는

봄날 무의식의 정거장에서

다른 방식의 시적 발상이 감상의 폭을 넓히는 동시에 단어들을 재현적 속성이 아니라 단어 자체가 지닌 창조적 속성만을 바라보려는 시각 존재한다 언어가 가진 고정 관념을 해체하고 언어 본연의 의미를 창조의 매개로 삼으려는

그의 시에는 다양한 이미지들은 한 공간이 아니라 지구 우주 심연에 이르기까지 아우르는 과정에서 언어가 지닌 의미는 더욱 효과적으로 부각된다 나아가 기존 현대의 서정시가 갖는 선형성 고정적 제약에서 벗어난 채 낯선 단어들이 충돌하고 예기치 못한 서로 이미지들은 각각 뿌리줄기(리좀)로 연결된 다양한 형태들을 지닌다

하지만 결국 한 나무의 뿌리줄기라는 통일된 가시구조를 지닌다 그의 시는 기존의 시들이 안주하는 언어 사용의 경직된 틀을 과감히 벗어던지고 있다 현실과 비현실의 공간을 넘나들고 청각과 시각을 통해 신체적 감촉과 감각을 느끼며 감촉만으로 특성화된 감정을 표현한다

다양한 의성어를 사용하고 다시점 구조와 자극적 현실 가상 상상을 결합시켜 상상 가능한 공간 확장을 열어두어 시너지 효과를 더했다

소리에 근거한 언어 유희 등 한 가지에 얽매이지 않는 다양한 시적 기법들을 응용하는 과정에서 시각적 청각적 불연속적 이미지들을 과감하게 연결하는 단어의 배열 결합 등은 전혀 이질적인 사물 간에 자유자재로 넘나들어 어떤 교류든 가능하게 하는 그만의 하이퍼성은 신선하다

그간의 하이퍼 시가 지녔던 감동부재라는 문제점을 이 시집에서는 해결한다 정서적으로도 안도감을 주는 한편 비형적

봄날 무의식의 정거장에서

이미지 구성으로 독자에게 읽는 재미를 더하는 표현의 유려함은 새로운 시기법의 모색이 성공적이다

본 논의에서는 제외되었지만 초현실주의 시와 하이퍼시는 동시성을 갖는데 하이퍼 시는 디지털 감각의 정밀성(최진연)과 가상공간과 인터넷 환경을 취급하는 디지털 감각의 정밀성을 갖는다(김규화)

또 초현실주의는 서사성이 제거되지만 하이퍼 시는 가상현실을 보여주는 서사적 이미지를 수용(최진연)하며 소설적 서사를 활용한다(심상운)는 차이점을 더 들 수 있다 끝으로 초현실주의 시는 시인의 의식과 무의식을 넘나들면서 시를 제작한다

하지만 하이퍼 시에서는 시인 자신이 연출자의 입장에서 시를 제작한다(심상운) 이에 대한 논의들은 차후의 기회로 미루고자 한다

봄날 무의식의 정거장에서

예술가시선

25

시계수선공은 시간을
보지 않는다

위상진 시집

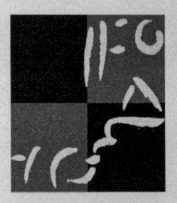

불빛 아래 해체되고 있는 상속된 시간의 유전자
식은 지 오래된 바람은 왜 한 곳으로만 숨어드는지
이상한 꿈은 왜 물속에서 젖지 않는지
가장 환한 곳에 숨겨진 너를 데려간 시간을 열어 본다

봄날 무의식의 정거장에서

위상진론 시간 유전자의 다양한 속성

『시계수선공은 시간을 보지 않는다』(위상진)

봄날 무의식의 정거장에서

시간은 누구에게나 같은 속도로 흐르지 않는다. 왜냐하면 시간은 관념이자 추상적 개념이므로 당대와 주변의 문화에 영향을 받기 때문이다

우리는 이러한 시간을 크게 직선적 원형적 절충적 시간관으로 나누기도 한다 그 중 직선적 시간관은 주로 서양철학에서 언급되어 왔으며 이는 선험적으로 이루어지는 한편, 시간이 경험을 앞서면서 경험을 가능하게 한다고 여긴다

그래서 과거 현재 미래는 직선상에 놓이며 늘 일정하게 나아가기에 원래대로 되돌아 갈 수 없다고 본다

이 시간관은 과거의 회귀를 인정하지 않고 지속적으로 발전하는 기독교의 진보적 가치관을 형성하는데 기여해 왔다 반면 원형적 시간관은 시간이 발전과 퇴보를 반복하면서 순환한다고 여기는데 이는 유사한 시간들이 오랜 역사적 세월 속에서 비슷하게 반복되며 흘러온다고 본다

미래의 시간은 전혀 새로운 내일이 아니라 어제와 유사한 시간들이 반복되는 윤회적 가치관을 형성하는데 기여했다. 또 절충적 시간관은 직선적 시간이 순환하면서 또 동시에 반복과 퇴보를 반복적으로 앞으로 향해 용수철 모양으로 나아간다는 관점이다

이는 앞서 언급한 두 시간관이 뒤섞인 형태로 이는 우리가 예전에 겪었던 일들이 좀 더 발전되거나 다른 모습으로 우연처럼 반복된 경험을 떠올리면 좀 더 쉽게 접근할 수 있다 한편 시간에 관한 기존의 연구 방향은 P.애덤(P.Adam 1994)에 의해 정리되었다

그에 따르면 시간은 일상 속에 스며들어 있어 시간을 보다

특별히 전문적으로 다루는 학자가 별로 없다고 지적했다 면 Munn(1992) 역시 기존의 여러 연구들이 시간에 대한 문제를 정치 종교 역사 등의 연구에 부차적인 요소로 다루어졌다(윤의섭 2017일부 참고)

이처럼 시간은 시대적 사회적 환경과 더불어 다양한 방식으로 표현되고 연구되었으며 시간만 독보적으로 한 연구는 드물다

우리의 현대시에서도 시간은 과거 현재 미래가 복합 양상을 띠거나 혹은 현재를 중심으로 과거와 미래가 겹쳐지는 동시 공존적으로 다루기도 하고 허구의 시간을 들여오거나 꿈의 시간 혹은 창조적이거나 주체적 독립성을 띤 시간이 다양한 주제와 더불어 언급되기도 했다(이승훈 1995)

본 고에서는 위상진의 시집에 실린 시들 중 일상적이고 일반적이며 보편적인 시간성을 내포하는 시들이 아니라, 독립적이며 고유한 시간성을 드러내는 시들을 대상으로 그 속성을 살펴보고자 한다

왜냐하면 시간의 흐름에 대한 생각은 누구나 동일하지도 않고 또한 동일하게 흐르지도 않기에 이를 고찰하는 과정에서 시간에 관여하는 삶의 개성적 속성을 읽어 낼 수 있다

또한 시에 드러나는 시간에서 대한 고유한 독창성을 읽음으로써 시대적 환경을 살아가는 시인의 다양한 관점이 삶에 부합되어 나타나므로 가치관이나 정체성 또한 이를 통해 확인 가능하다. 또한 고유한 복합적 내면의 양상마저 읽을 수 있는 단초가 되기 때문이다

봄날 무의식의 정거장에서

그는 시간의 습성을 찾는 중이다
어둠의 부속을 핀셋으로 집어낸다
바늘만 보일 뿐
대못에 꽂혀 있는 전표 같은 시간
멈춰버린 시계 위
찌푸린 불빛을 내려다보고 있는 부엉이 한 마리
불빛 아래 해체되고 있는 상속된
시간의 유전자
식은 지 오래된 바람은 왜 한 곳으로만 숨어드는지
이상한 꿈은 왜 물 속에서 젖지 않는지
가장 환한 곳에 숨겨진 너를 데려간
시간을 열어 본다
〈략〉
푸드덕, 그의 심장 뛰는 소리
그는 시계가 없다
어둠의 재가 숫자판 위로 떨어질
부엉이 날개 바스락거리는 소리
눈꺼풀 닫히는 소리
어제 밀린 시간은 지금부터 흐르기 시작하고
너의 시차를 들여다본다
수척한 바람 냄새 오고 있었던가
                    －「시계수선공은 시간을 보지 않는다」

봄날 무의식의 정거장에서

폰스 트롬페나스는 시간을 순차적 시간문화와 동시적 시간문화로 구분하고 시간과 사건이 꼬리를 물고 이어지는 것을 순차적으로 미래 예측과 과거 경험이 결합돼 현재를 형성하는 것을 동시적으로 분류했다

이 순차적 시간관은 E. 홀의 단일 시간관과 유사한 개념으로 볼 수 있으며 동시적 시간관은 E. 홀의 복합적 시간관과 유사하다 순차적 시간은 문화권에서는 결정적 순간을 향해 나아가는 직선적 역사관이 드러나며 이는 시간을 곧 이어 사라지는 소모품 정도로 여긴다

다른 사람과의 시간 약속에 대체로 민감하다 하지만 동시적 시간 문화권에서 시간 개념은 순차적 시간 문화권 보다는 훨씬 탄력적이며 특정한 시간을 고집하기보다는 시간 엄수나 약속 모임 시간 등에 정확하지 않은 경우가 대부분이며 시간에 대해 여러일을 동시에 처리하는 행동을 자연스럽게 한다

보통 시간은 창조자인 동시에 모든 것을 데려가는 존재로 상징된다 시에서 젖지 않는 시간에서는 자신이 살아가면서 보내는 시간들이 주변 상황과 어울리지 않는 현실 속에 놓여 있음을 알 수 있다

또한 이 시간은 해체되고 있는 상속되는 과정에서 파괴의 힘을 지닌 동시에 진실의 힘을 지닌다 하지만 이상한 꿈에 드러나는 시간은 화자가 현실적 삶 속을 살아가면서 젖지 않는 물 속에서는 스스로를 되돌아보려는 심리가 표출되며 이 시간들은 주어진 상황 속에서 불연속 되는 점에서 볼 때 시간이 순차적으로 흐르면서 내면화된 자신만의 삶을 반추하려는 심리적 시간이 나타난다

봄날 무의식의 정거장에서

대못에 꽂혀 있는 전표 같은 시간은 화자의 눈에 든 시간으로 꼭 짜인 시간이 멈춰 서기에 순차적으로 흘러가는 단일 시간이라기보다는 어떤 상황에 맞춰 흘러가는 변형하는 시간이다

화자는 앞뒤를 꼭 맞추어야 하고 상대를 배려하면서 여러 요인들을 맞추는 급박한 국면을 마주한 채 각성된 의식이 필요한 상황 속에 놓인다 이 시간은 순차적이며 단일하게 흐르지만 그 속에서 여러 일을 동시다발적으로 진행하며 멈추기도 한다

동시적 시간이 혼재된 복합 양상을 지닐 수밖에 없으며 이에는 어떤 일을 계획하려는 강한 자의식이 밑바탕이 되어 있어야 가능하다 젖지 않는 시간은 현실과 심리적 상태가 동반된 동시적 시간에 환상성을 지닌 심리적 시간이다

이 역시 주변의 상황에 겉도는 그렇지만 배제할 수는 없는 삶이 진행되며 화자는 이러한 현실 문제에서 좀 떨어져서 생각하려고 현실적 상황과 틈을 벌려 거리를 두려는 심리가 표출된다 환한 곳에 너를 숨긴 시간에서 화자는 너를 어둠과 결탁시키기 보다는 밝은 곳에서 보호하고 싶어 한다

이러한 행동은 현실에서는 불가능하지만 꼭 그렇게 실천하려는 내면적 의지가 드러난다 어제 밀린 시간은 지금부터 흐르기 시작하고에서는 일직선으로 움직이는 순차적 시간의 흐름이 바탕이 된다

세상에 존재하는 대부분은 시간과 더불어 움직이기 시작하며 따라서 이 시간은 만물의 기원을 의미한다 화자의 입장에서 보면 상대에 해당하는 그는 시계가 없다 그의 시간과 화자의

봄날 무의식의 정거장에서

시간은 다르다 그런데 그 시간이 밀려 있고 지금부터 흐른다
는 점으로 보아 동시적으로 진행되면서 내재된 시간은 순차
적으로 흐르며 그 과정에서 혼합되고 뒤섞인 채 진행된 나선
형의 복합적 시간관이 나타난다

내 수염 끝에 피어난 꽃
당신 와인색 립스틱은 몽환처럼 날아다니고
당신 도착할 시간 60초를 지나고 말았어
또 다른 하나는 열어 두었지
감금된 시간은 현기증으로 흐물거린다
난시처럼 흔들리는 이상한 면적과 부피
치즈처럼 녹아내리는 시계
호흡은 바늘위에 졸아들어
축축한 내 손가락 끝에 늘어진다
그런데 천사는 날개를 입은 채 잠자리에 들까
나는 내가 미쳤다는 것을 알아
우리 시간을 길게 길게 늘이는 중이거든
민달팽이가 집을 찾아가고 있네
〈략〉
지친 키메라는 올리브 가지에 늘어지고
녹아내리는 시간을 당신이라 부른다

-「기억의 지속」일부

봄날 무의식의 정거장에서

시간은 공간과 밀접한 관련되며 공간과 더불어 중심이라는 의미를 지닌다 그런데 이 중심은 정신적 의미와 무를 상징한다 과거도 현재도 미래도 모든 시간은 중심에서 나오며 이는 우주의 힘을 상징한다(진쿠퍼)

세상의 모든 둥근 시계는 순환적 형태가 지니는 만다라가 지닌 의미와 동일하게 해석된다 이 시계는 빠른 중간 느린 세 종류의 리듬과 박자를 갖는 영원한 운동성을 지니며 이에는 자율성이 강조되고 창조와도 관련된다(이승훈1995일부 참고) 그럼에도 시계는 시간이 지니는 의미 중 가장 중요한 사건을 측정하기 위한 단위이자 사물의 변화를 인식하기 위한 개념을 상징화시킨 사물이라는 점은 변함없이 명확하다

시에서 화자는 누군가를 기다린다 짧은 시간에 민감하며 정확한 시간관념을 지닌 화자는 도착할 시간을 넘긴 대상에 당신 도착할 시간 60초를 지나고 말았다고 하여 시간에 대한 관념이 다르다 이 점으로 봐서 화자는 순차적으로 흐르는 시간 속에 존재한다

누군가를 기다리는 순간을 초조해 한다 누구나 누군가를 기다리는 일이 초조하지는 않지만 시의 화자는 스스로에게조차도 힘든 일이 되고 가슴 졸이는 불안함을 느끼고 있다

이러한 시간에 대한 빈틈없는 관념은 시간을 일직선으로 세워 다른 어떤 것에도 한눈을 팔지 않고 오로지 기다림에 집중하는 순차적으로 흘러가는 단일 시간의 개념을 갖는다는 점을 알 수 있다 감금된 시간은 현기증으로 흐물거린다 치즈처럼 녹아내리는 시계에서 화자는 환상과 결부된 시간 속에

봄날 무의식의 정거장에서

살고 있다 감금된 시간은 흐르지 않는 시간이며 평범하지 않
다
이 시간은 현실적이라기보다는 상상속의 시간으로 화자는 현
실과 상상을 오간다 또한 우리 시간을 길게 길게 늘이는 중
이거든에서 화자는 상대와 함께 하는 시간을 좀 더 길게 갖
고 싶어 한다
이는 상대의 시간은 그대로이고 세상의 시간도 그대로이지만
상대와의 관계 속에서 바라는 바의 시간을 가지려는 화자의
심리적 시간이 드러난다 한편 녹아내리는 시간을 당신으로
부르는 점에서는 화자 자신의 모든 시간은 당신이라는 대상
에 온통 집중하고 있다
모든 시간의 중심은 자신이 아닌 다른 사람을 시공간에서 인
식한다는 점에서 화자가 누리는 시간은 대부분 당신이라는
대상에 의해 화자의 시간은 무가 되어 버리며 이 시간들은
현재 상상 심리를 동시에 오가는 복합적 시간관이 드러난다

우리는 왜 그렇게 많은 시간을
약속을 깨는데 익숙해져야만 했는지
모래가 흘러내리는 시계 뒤에서
선인장 가시는 계속 자라고 있었나 보다
〈략〉
금욕의 냄새 물씬한 푸른 별에서
몰인정한 시계 바늘 끝에서

　　　　봄날 무의식의 정거장에서

E. 홀의 시간관에 따르면 서로 다른 문화권의 사람들이 서로 협상을 할 때는 상대의 문화권에 통용되는 시간관에 중심을 둔다 예를 들어 복합 시간권의 사람이 단일 시간권의 사람과 협상할 때에는 주로 협상가가 귀국으로 출발 예정일 직전을 택한다 이유는 단일 시간관의 협상자는 일정이 어그러지기는 것을 꺼려 대체로 상대방의 요구를 받아들이게 된다고 믿기 때문이다『침묵의 언어』

우리는 시간 안에서 약속을 정하고 그 약속은 지켜져야만 의미가 발생한다 하지만 앞으로 어떻게 할 것인가를 약속하고 지키지 않는 사람들과 수없이 만나고 헤어진다

인간관계에서 약속은 중요하며 신뢰의 정도는 약속을 얼마나 잘 지키느냐 혹은 쉽게 어기느냐에 따라 정해진다 어떤 만남이든 필수적으로 약속을 지키고 신뢰를 형성해야 그 다음 단계로 발전 가능한 관계로 이어지게 된다

약속을 하고 약속을 지키는 것은 자신이 상대에게 어떤 사람이라는 것을 알리는 동시에 상대방의 행동 기준을 알게 하는 확실한 방법이다 약속을 어기는 사람에게는 분노 억울함 불만족과 같은 부정적인 감정을 느끼며 불신의 벽이 쌓인다

특별한 이유가 없이 약속을 깨는 경우 관계를 끊거나 이미 좋은 관계는 사라진다

위의 시「푸른 지우개」에서 화자는 인간관계 속에서 시간에 대한 서로 다른 관념에 대해 고심해 왔다 그것은 우리가 살

봄날 무의식의 정거장에서

아가면서 많은 약속을 깨는데 익숙해져 왔다고 한다 물론 화
자 자신을 포함한 시간에 대한 관념 속에서 만든 상대방과의
약속을 되짚어 보는 계기를 갖는다

개인 사이뿐만 아니라 심리적 상호 의무와 같은 약속이 지켜
지지 않는다면 그 관계는 부정적인 영향을 주고받으면서 소
원해진다

이는 약속을 어긴 자의 경우 스스로의 정직성에 좌절하기도
하지만 어김을 당한 상대방조차도 부정적 정서의 갈등을 겪
는다 그럼에도 불구하고 사람들은 약속을 어기는데 그 이유
는 상대적 이익의 발생이 크다는 점에 기인하지만 결국은 더
큰 결함인 부정적 이미지를 형성하는 것은 불가피하다

모래가 흘러내리는 시계에서 시간은 한정적이다 모래가 다
떨어져 내리는 시점은 정해진 모든 시간이 끝나버린다는 것
을 의미한다 우리가 생각하는 모래시계는 흘러가는 시간을
한 눈에 바라보게 만드는 세 가지 상징성을 담고 있다

상부는 미래의 시간을, 중간의 흘러내리고 있는 지점은 현재
의 시간을 이미 흘러내린 하부는 과거의 시간을 가리킨다.
이렇게 모래시계는 세 종류의 시간을 한 공간에 두고 있다

현실적으로 우리는 이를 잘 인지하지는 못한 채 살아간다 시
의 화자는 시선이 뾰족하고 한발 디딜 곳 없는 몰인정한 시
계 바늘 끝을 향한다

하지만 이는 물리적 방향을 지칭하는 시계 바늘이라기보다는
그 바늘이 가리키는 장소에 부합되는 심리적 시간을 함축하
는 푸른 별이라는 이상 세계를 가리킨다

그곳은 화자가 잘 지켜내고 완벽하게 점수 매겨지고 지워지

봄날 무의식의 정거장에서

는 삭막하고 빈틈을 보이지 않는 시간이 기준이 되는 현실
공간이 아니다 화자는 이에서 벗어나 편안하고 자유로이 존
재하고 싶은 장소를 원한다

따라서 이 시간에서 화자는 스스로를 포함한 타인들의 시간
에 대한 관념이 서로 다른 점을 인지하면서도 그것이 잘 지
켜져 서로에게 해가 되지 않기를 바라는 내면을 보이는데 이
는 이상화된 공간에서만이 가능한 환상적인 시간이라는 것은
인지하고 있다

미라의 폐에 남아 있는 그을음 오래된 미래를 읽다가
덮어 둔 페이지. 거부하는 숨결로 숨어들던 물렁한 아가
미. 한 호흡 한 호흡 새어나가는 틈새
주문이 덜 깬 마술사의 수염 위를
끊임없이 날아다니며
시간의 뼈를 발라내고 있는

-「먼지는 작동한다」일부

'이제 그만 너를 모르고 싶어' 절판된 시간이 습하게 그어진
다

-「저체온증」일부

봄날 무의식의 정거장에서

시간에 대한 관념은 인간관계를 형성하는데 있어 매우 중요하다 시간을 중요시 여기는 사람은 비교적 자신뿐만 아니라 상대방 나아가 공동체에 대한 높은 인식을 갖고 약속에 대한 강한 책임감을 지닌다

시간관은 단순히 시간을 철저히 지키거나 소중이 다루는 생각 속에서 시공간 속에서 일어나는 삶을 인식하는 방안으로 작용하기도 한다

그런 시간은 영원히 멈추지 않으면서 끝없이 흘러가는 그래서 안타깝고 조급하기까지 하다 하지만 아무리 작은 시간도 충실하게 보낸다면 삶에서 여유와 자신감들을 키워가는 밑거름으로 작용된다

왜냐하면 사람들의 다양성만큼이나 시간은 그들의 삶에서 다양한 형태로 작용하고 상상할 수 없을 만큼 다양한 결과를 남기기 때문이다 시에서 미라의 폐에 남아 있는 그을음 오래된 미래 시간의 뼈를 발라내고 있는 「먼지는 작동한다」에서 볼 때 화자는 오랜 시간이 남긴 소중함을 찾는 작업을 진행하는 중이다

사소한 그을음 속에서 찾아낸 화자의 시간은 역사와 더불어 지속되어 왔고 뼈를 발라내는 현재의 시간 속에서 과거 미이라가 누렸을 지나간 시간을 생각하고 이를 현재와 구분하며 또한 이 시간들은 오래된 미래로 분류하는데 이에 나타나는 시간들은 과거와는 조금 다른 그렇지만 유사한 형태로 거듭 반복되는 동시간적 가치관이 나타난다

각각 다른 문화적 차원과 그 속에서의 다양한 체험들이 한 공간에서 이루어지는 시간의 독창성을 갖기도 한다 화자는

봄날 무의식의 정거장에서

현재와 과거가 공존하는 현재 속에서 미이라를 매개로 인간의 삶과 죽음이 과거와 현재와 미래가 동시공존하며 연계된다고 인식한다

그런가 하면 상대에게 이제 그만 너를 모르고 싶어서 단절을 선언하며 이에서 상대의 시간개념에 대한 절망감을 드러낸다 절판된 시간「저체온증」에서 역시 그러한 실망감이 나타나며 이제는 더 이상 상대에게 시간을 할애하지 않겠다는 절판으로 끝나버린 시간을 선언한다

이에서는 다시는 되돌릴 수 없는 순환적 시간관 (기드보르) 즉 단일 시간관 (E. 흄)이 심리적 시간과 더불어 나타난다

이 시간은 세속의 시간과 신성한 시간 일상적 시간과 종교적 시간이 자연의 리듬 속에서 조화롭게 진행되는 형태로 나타난다(이진경 2010)

이처럼 화자의 시간은 과거 현재 미래가 진행되면서 어느 시점에 이르면 끝나버린다 자르면 잘리고 이으면 이어지는 하나의 선으로 인식된 일직선상에 놓여 있는 시간은 상대와의 관계 속에서 어떤 계기로 혹은 절판된 시간으로 이미 끝나버린 시간이다 이는 과거의 부정적인 영향으로 인해 현재 미래의 관계마저 부정적으로 생각하는 순차적으로 흐르는 시간이 나타난다

시간과 몹시 사이가 나쁜, 그는
슬픔을 키워가는 인칭이었어
사다리를 치워버린 불 꺼진 창은

　　　　　　봄날 무의식의 정거장에서

인사도 없이 떨어져 내렸지
목이 쉰 달은 자정의 자명종을 울리지 않으리라 유리
조각에 찔린 신의 발가락 찐득찐득한 자국을 찍는 중이
어서 〈략〉 너무 멀리 와서 반대편이 가까워진
개와 늑대의 시간은 저녁 기도를 잊은 채 굴절되고 왜곡되고

-「숨어 있는 계단」일부

우리는 주로 하루 단위 한해 단위 연도 단위로 사용하는 시
간을 측정하고 표기한다 이 표기들은 부르구앵(2009)에 따
라 달의 공전주기를 기준으로 하느냐 혹은 그레고리의 전 세
계의 표준 달력인 해를 기준으로 하느냐로 나뉜다
동양에서는 직선적인 서구의 시간관과는 달리 전통적인 사회
의 공동체적인 시간관을 요구하는 세시 풍습이나 종교의례
등이 연관되어 있다 반면 그레고리력은 순환성과 주기성을
지닌 동일한 날짜에 이루어지는 개인화된 시간관을 토대로
하는 표준 달력과 표준시에 맞추어져 있다
한편 에반스 프리차드는 시간을 활동의 개념으로 지적한다
시간은 자연과 동떨어져서 생각할 수 없다고 한다 그에게서
시간은 자연과 더불어 인식되거나 변화하는 사건 활동 공간
등과 연계된다
시에서 시간과 몹시 사이가 나쁜 그가 나타난다 그는 기존의
시간관 속을 살아가면서 약속하고 지켜온 직선적으로 흐르는
시간관에는 맞지 않는 사람처럼 보인다
봄날 무의식의 정거장에서

약속을 잘못 잡거나 혹은 약속을 못 지키거나 시간에 얽매이는 활동에 취약하다 따라서 화자의 관점처럼 시간과는 사이가 나쁜 것으로 보일 수 있다

화자의 입장에서 바라보는 그의 시간은 그가 살아가는 문화적 사회적 공간적 요소와 현재의 상황들이 맞지 않아서 생겨났다는 인식으로 확장된다 시간에 대한 인식은 고무줄처럼 늘어날 수도 줄어들 수도 있다

시에서도 이를 개와 늑대의 시간이라는 모호한 시간의 경계를 가리킨다 개의 시간인지 늑대의 시간인지도 분간이 안 되는 이 시간은 밤도 낮도 아닌 길거나 짧거나 라는 물리적 의미를 지니지도 않으면서 사물의 윤곽을 흐리는 애매한 시간이다

이는 불분명한 채로 감금된 누구도 어쩌지 못하는 흐린 시야를 지닌 시간이다 농경 친족 전통적 의례 세시 의례 제사와 같은 자연에 관한 인식이 배제된 어디에도 속하지 않는 시간이다

이 시간은 시공간의 연속 속에서 오랜 세월 자연스럽게 진행되어가는 시간 개념이 아니라 그 곳으로부터 너무 멀리 달려와서 오히려 반대편이 가까운 시간에 속해 있는지 모른다

시에서 그는 바로 이런 시간관을 지닌 존재라는 점을 알 수 있다

새벽 4시에 걸려온 전화
내 나라에선 누군가 존재를 알려오고

　　　　　　　　　봄날 무의식의 정거장에서

여기는 어디인가
〈략〉
사막은 눈을 감고 있었다 물뱀처럼
스윽 지나가는 내일

-「여름의 고리」일부

위베르와 모스(1909)는 질적 시간으로 사회적 삶의 주기적
특성을 강조하였다 이들은 시간을 사회 조직을 재현하는 상
징적 구조로 규정하고 문화적 사회적 상황 속에서는 삶에 미
치는 시간의 질적인 특성을 강조했다(안주영 2013)
우리는 사회적 존재로 특정 지역의 시간 속에서 연대감을 지
니며 살아간다. 따라서 그 특성에 맞은 시간개념에 적응하는
한편 상호 밀접한 영향관계 속에서 보다 질적으로 나은 삶을
살아가고자 노력한다
시간이 곧 돈과 교환 가능한 상품으로 인지된다는 점과 연관
짓고 자본주의적 사회냐 혹은 자연의 흐름에 민감한 경험과
연관된 시간을 사느냐에 차이가 있다
시의 화자는 새벽 4시에 걸려온 전화를 걸어온 전화를 받는
상황을 받아들이는 관계 속에 놓인다 이는 화자가 현재 존재
하는 곳과 다른 문화적 배경이나 시간대가 다른 삶을 살아가
는 사람과 공유 관계에 놓여 있다는 점을 짐작하게 된다
그리고 그곳은 사막은 눈을 감고 있으며 그곳에서 내일은 스
윽 지나가는 시간이다 앞서 언급된 새벽 4시는 이익이 관련

봄날 무의식의 정거장에서

되고 자본주의적 성향을 지닌 물리적 시간이라면 물뱀처럼 스윽 지나가는 내일은 전통적 시간으로 자연의 흐름에 민감한 자연적 시간에 해당된다

이 시간은 지극히 개인적인 시간으로 삶의 중요한 분기점을 마련하는 시간이다 즉 화자는 시간의 체계가 다른 두 종류의 시간에 공존하고 있다는 것을 알 수 있다

이 시간들은 순차적으로 앞으로 향하지만 경우에 따라서는 똬리를 튼 뱀의 시간처럼 머물기도 하고 조금씩 움직이기도 하고 빨리 움직여 순식간에 사라지기도 하는 유동적이며 상상하는 심리적인 시간과 조직의 연대감 속에 살아가는 동시적 시간관이 나타난다

따라서 화자가 존재하는 시간은 순차적으로 흘러가는데 동시에 심리적 시간이 동시다발적으로 공존하는 곳에 존재한다는 것을 알 수 있다

낮 시간에 가려진 나의 꿈자리는 모호했다
지하철 안 나는 마취주사에 찔린 한 마리 회색벌레
구멍 난 잠을 비집고 가수면으로 빠져들었지

-「앵글이 없는 오후」일부

인간은 문화의 테두리 속에서 인식된 시간을 보낸다. 따라서 시간은 주관적으로 흘러가기 보다는 객관적 개념으로 존재하

봄날 무의식의 정거장에서

지만 때에 따라서는 개인이나 사회적 상황에 따라서 달리 흘러가는 것처럼 느낀다

그래서 이 시간을 어떻게 생각하느냐는 혹은 주어진 상황 속에서 무엇과 어떻게 일치시키느냐에 따라서 시간의 의미와 길이는 달라진다 일반적으로 가수면이란 의식이 반쯤 깨어 있는 상태에서 옅은 잠을 자는 것을 말한다

이는 수면의 기능을 살려 수면의 보조 역할을 하는 상태이며 두뇌 육체 자율신경 중 어느 하나는 결핍된 상태에서 가능하나 가수면 시간 동안에 이러한 결핍은 채워진다. 또한 가수면 상태는 잠깐 잠든 상태이지만 뇌는 그간에 입력된 내용을 정리하고 기억력은 강화된다

위의 시에서 화자는 낮 시간에 가려진 꿈을 꾸고 있다 잠이 온다는 것은 다음 활동을 대비해 육체가 휴식을 취하는 상태이다

많은 사람들은 생생한 얼굴로 지하철 안에서 웃고 떠들 동안 화자는 이러한 환경 속에서 가수상태에 들게 된다 어느 틈엔가 눈을 감고 잠든 것과 같은 편안한 상태인 가수면으로 빠져든다

가수면 상태에서 육체는 쉬고 정신만 활동하며 그 상태에는 다른 사람들의 소리가 마치 실제로 체험하는 것처럼 느껴진다 가수면 상태에서는 두려움을 느끼지 않는다면 대체로 평온한 시간을 갖게 된다

가수면 상태의 시간은 현실적인 시간 속에서 동시에 비현실인 환상적 시간의 국면을 함께 지닌다 이러한 가수면의 수면 방식은 현실 속에서 제때 눈을 뜨는 훈련과 반쯤 잠드는 가

봄날 무의식의 정거장에서

사 상태의 환상적 시간을 누리는 반복된 노력의 결과에서 만들어진다

지하철 속의 많은 사람과 달리 화자는 바쁜 삶을 살아낸 구멍 난 잠을 비집고에서처럼 고단한 일상 속에서 밤잠을 설친 것을 가수면으로 보상한다

즉 화자는 지하철 안이라는 타인들이 보내는 현실적이고 순차적 시간 속에서 스스로는 가수면 상태라는 비현실적이고 환상성을 지닌 내면적 시간을 함께 누리는 그러면서 앞으로 나아가는 복합적 상황으로 시간을 맞는다

태엽을 풀어 흙 속에 묻어버린 시계
비눗방울 속으로 비눗방울 이 들어가듯이
고민 끝에 퍼즐을 맞추면 파다한 반항이 완성된다

-「묻어버린 시계」일부

유식사상에 따르면 이 세상은 하나의 꿈이다 잠재의식 속에 있는 것이 모두 꿈속에 대체로 나타난다 이 세상에 존재하는 모든 것은 아뢰야식의 전변에 의해서 만들어진다 시간도 과거 현재 미래의 구분도 윤회 인과 관계조차도 모두 아뢰야식에서 나타나는 허상의 일부로 실재가 아니다

의상대사의 법성게法性偈에서 무한히 먼 겁이 한 생각이요 한 생각이 곧 무한 겁이다無量遠劫即一念 一念即是無量劫]이

봄날 무의식의 정거장에서

라 하여 시간의식은 곧 식識에서 비롯된 것이며 이 시간은 객관적 대상으로 존재하는 것이 아님을 일깨워주고 있다.시에서 화자는 태엽을 풀고 시계를 묻어버린다

마치 세상 사람들이 생각하는 시간이나 모든 간섭하는 요소들을 해체시키고 자유의 몸으로 돌아가기 위해서 눈에 보이는 시간을 측정하는 기계인 시계를 흙 속에 파묻어 버리지만 태엽을 풀고 시계를 묻는다 해도 세상의 시간은 흘러간다

다만 화자의 생각 속에서 존재하는 모든 시간을 과거 현재 미래가 없는 아뢰야식에 해당하는 무의 시간 속으로 돌려보내고 싶고 또 이 시간들이 더 이상 흐르지 않기를 바라지만 화자의 입장에서는 어떤 방도도 찾을 길이 없다

따라서 이 세상이 하나의 꿈이라면 시간 또한 잠재의식 속에 묻어버리고 나면 그만이다

그럴 수 없기에 차선책으로 시간을 가리키는 시계의 태엽이 풀고 흙 속에 묻어 시야애서 벗어감으로써 세상 사람들이 지칭하는 시계와 시간이라는 가압적인 상황에서 벗어나려 한다 이로써 화자는 세상의 시간과는 동떨어진 채 객관적 대상으로 세상의 시간들을 바라보는 존재로 살며 순순히 흘러가는 자유로운 삶을 누리고 싶은 자신을 만나고자 한다

천국의 해시계는 사라지고 화면은 눈을 닫았다
백야의 객석은 음이 내려앉은 피아노 같았지〈략〉
말이 쪼개지는 저 너머
늘 기다리는 사람 더 기다리는 사람

　　　　봄날 무의식의 정거장에서

생각보다 빨리 오고 시간보다 늦게 갔지
시차를 가로 지른 밤은 불면으로 잃어버린 밤이다

환영과 환각 사이 너는
뒤돌아보지 않고 익숙한 장소에 도착한다

-「벽은 속삭인다」일부

베르그송은 시간에 대한 존재론적 토대를 새로 쓴다 그는 시간을 지금이라는 무한한 병치로 설명하고 이가 서로 연결된다는 것을 증명하고 운동의 수(플라톤의 경우 수의 특성)에 시간이라는 생각을 덧입한다 이는 아리스토텔레스가 말하는 고정불변의 존재라는 시간의 개념에서 벗어난 것이다
그에 따르면 시간은 변화의 본성으로 갖기 때문에 분절될 수 없으며 상호침투하며 공간적인 것과는 판이하다 시간은 지속하며 살아 있는 생명의 영원성을 지닌 듯이 한순간도 고정되거나 멈추지 않는다
시의 화자는 천국의 해시계가 사라지고 화면이 꺼진 심야극장 안에 앉아 있다 여러 사람들이 한 공간에 존재하면서 더러는 건성건성 들려오는 말이 쪼개지는 저 너머에서 조금 먼 곳에 앉아 대화하는 사람들의 모습을 상상한다
사람들의 시간은 화자의 시간과는 다른 모습으로 흘러간다 늘 기다리는 사람과 더 기다리는 사람들이 현재라는 시공간 속에서 다양한 상황과 관계를 형성하여 시간을 보내지만 어

봄날 무의식의 정거장에서

느 한 사람도 시간에 고정된 삶을 살아가는 것이 아닌 복합
적인 시간을 보내는 점을 알 수 있다

이들은 각기 다른 사고로 각기 다른 방향을 바라보며 각자의
시간을 누리며 살아가고 생각하며 행동하며 이들은 멈추어
있지 않고 각자가 자신의 의지대로 시간을 보낸다 화자는 일
반적으로 사람들이 흘려보내는 시간 속에서 시차를 잃어버린
불면의 밤을 보내고 가수면 상태로 있다

환영과 환각을 오가지만 익숙한 공간을 찾아가려고 스스로
노력한다 화자는 현재 누구나에게 공평하게 흘러가지 않는
시간 속에서 자신만이 누리는 시간조차도 다양하게 변화하지
만 삶에 충실 하려 한다

막이 내리자 벽시계를 내리고
거울 위에 베일을 씌운다
세트들이 이리저리 몰려다닐 때
비극을 버티던
벽과 문은 그만 주저 앉고 싶었을까

눈을 뜬 채 눈물 흘리던
〈략〉
밤과 낮의 경계가 지워진 불 꺼진 모니터
리골레토의
절름거리던 시간을 놓아버렸지

　　　　봄날 무의식의 정거장에서

E.리치에 따르면 시간은 지속되지 않고 되풀이 되며 역전 반복 대극 사이를 진동하는 연속으로 경험된다 밤 낮 겨울 여름 삶 죽음에서 과거는 어떤 깊이도 갖지 않는 동등한 과거이며 그것은 그저 현재의 대립물에 지나지 않는다

또 해 달과 같은 순환성과 생로병사의 불가역성을 제시한다 시간은 획일화 단순화가 아니라 추상적 상징적 메타포적 성향을 지니므로 문화적 다양성만큼이나 다양하게 존재한다(리치 1961)

한편 짐바르도에 따르면 인간은 과거 부정적(자아존중감 부적 상관 불안 우울 정적 상관) 과거 긍정적 현재 숙명적 현재 쾌락적(상태불안 우울과 정적 상관)과 미래지향적 초월적 미래지향적(자아존중감 정적 상관)으로 나눈다(박희은 2017) 시에서 사람들은 연극이 끝나자 벽시계를 내리고 세트장에서 벽과 문을 이리저리 옮겨 다닌다 이 과정에서 화자는 이미 벽의 기능을 잃어버린 조금 전까지 벽이었던 벽의 과거를 기억하면서 다양한 생각에 빠져든다

화자는 조금 전 상황에 몰입되어 미처 빠져 나오지 못한 상황일지도 모르지만 무대를 만드는 사람의 입장에서 보면 그 시간은 이미 흘러가버린 과거에 속한다

잠긴 문은 벽의 의미를 지니며 벽은 시공간을 분할하는 매개로 작용한다 연극이 끝나고 벽도 본래 공간을 단절하는 역할을 잃어버리고 현재의 시공간은 해체된 상태에서 벽시계도

역할을 잃어버린다

시간의 역전 속에서 화자는 과거의 벽이라는 갇힌 시공간에 주저 앉아 눈물 흘리던 부정적인 과거의 상황을 현재에도 느끼는 시간의 감각이 눈앞의 그들과는 다르다는 점을 알 수 있다

이는 과거를 추억하느냐 현재를 즐기느냐 미래를 대비하느냐에 대한 시간을 대처하는 차이가 나타나며 화자의 경우 과거를 손 놓아버리기를 힘들어 한다

화자는 대상과의 관계 속에서 밝음과 어둠의 경계를 넘어선 현재 속에서 과거 현재 미래를 한번에 인식하며 어떤 시간과도 손 놓지 않으려는 시간에 대한 포용의 성향을 드러낸다

지금까지 시집 『시계수선공은 시간을 보지 않는다』(위상진 2020)의 시에서 화자는 시간에 대한 관념들이 다양한 사람들과의 관계를 거치면서 화자의 내면세계에서 새로운 유전자로 바뀌어 간다

그것은 현실에서 화자 자신을 포함한 타인의 삶과 연계되어 존재하는 방식과도 관련이 있다 이는 상대가 택한 생존 방식에 때로는 화자 스스로의 시간관념을 알맞게 변용하고 맞춰가는 현명한 생존방식을 지니는가 하면 상대의 시간에 대한 관념을 인정하고 스스로 시간개념에 대한 전혀 새로운 유전자를 생성하는 가운데 자신의 독특한 시간적 속성으로 발전시킨다

이에 대한 여러 특징을 살펴보는 과정에서 그 시간들은 대체로 등장하는 인물이 화자와는 비교적 다른 시간적 관념을 지니며 이러한 특성을 화자는 인정하면서 그 특징들에 관심을

봄날 무의식의 정거장에서

갖고 긍정적으로 접근하는 애정이 드러난다

이를 세부적으로 살펴보면 세 가지 정도로 나타난다

첫째 그의 시에서 시간은 자신의 내면과 현실의 타인들이 갖는 순차적 시간관 속에서 그들의 시간관을 내면에 수용하려는 심리들이 교차하면서 존재한다 그 시간들은 실제로 시계 속 화살이 가리키는 곳은 현실의 시간이 아닌 바로 자신이 꿈꾸는 이상적 시공간이라는 것을 알고 또 약속을 지키려는 의무감에 충실한 스스로를 철저히 다스려내려는 순응의 시간관으로 드러난다

화자는 자신이 존재하는 현실 속에서 시간을 엄수하면서 순차적으로 흘러가기를 바라지만 상대의 방식에서 드러나는 시간에 대한 변수에 늘 고심한다

또한 화자는 늘어난 시간에 대해 적응하려는 동시에 한 번에 일을 진행하려는 의지를 드러낸다 화자는 자신이 존재하는 시간 속에서 다양하게 일을 진행하는 동시에서 완벽하기를 바라는 자의식을 표상하는 시간의 특성이 드러난다

둘째 그의 시에서 타인과 관계될 때에 시간은 늘어나거나 잘린 혹은 잘려버리거나 감금된 특성이 나타난다 과거 현재 미래의 어느 특정한 시간대에서 길게 늘어나거나 혹은 멈추거나 잘려 버리기도 한다

현재에서 과거를 소환하거나 현재에서 미래를 향해 미리 나아가는 동시에 현재에 존재하는 동시다발적 시간들이 공존하거나 혼용되어 있다 따라서 한 공간 안에서 다양한 사람들과 만나 그 문화와 복합적 가치관들이 뒤섞여 나타나고 이를 수용하고 인정하는 시간들이 조화롭게 흘러가기를 내심 바라지

봄날 무의식의 정거장에서

만 그렇지 않을 경우에는 절판시키거나 잘라버리는 단호함도
갖고 있다

셋째 그의 시에서 시간은 상대의 현실적 상황 속에서 해결되
지 못하는 문제를 배제하지는 못한다 따라서 모호한 시간대
로 나타나기도 한다

관계에 대해서는 굳이 관여하고 싶어 하지도 않지만 애써 내
치지는 못하고 불분명한 그 경계에서 스스로가 혼란스럽기도
하다 이 시간들은 현실 속에서나 꿈속에서도 동시성과 환상
을 통해 현재 순차적으로 흐르는 시간 속에서 해결하려 한다
그 시간들의 경계는 모호하고 무엇이라 단정할 수도 없는 경
계가 애매한 특성을 지닌다

그래서 관계 속에서 시간이 얽히면 자신의 의지와는 다르게
스스로의 삶에서조차도 시간을 어쩌지 못하는 복합적 나선형
의 시간관으로 나타난다 한마디로 위상진 시에는 자신을 중
심으로 펼쳐진 인간관계 속에서 발생하는 시간에 대처하는
여러 시간적 특성이 나타난다

이들은 상대를 인지하는 과정에서 과거 현재 미래가 무순위
로 공존하거나 상대의 의지에 맞춰 과거 현재 미래가 순차적
으로 흘러가면서 화자의 의식으로 들여오는 동시성을 지닌다
이 시간은 불분명한 경계를 드러내며 이는 화자가 복합적이
고 함축적인 시간들에 내재된 심리에 변용시켜 긍정적으로
수용하는 속성에서 온다고 하겠다

봄날 무의식의 정거장에서

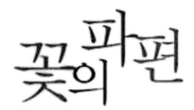

꽃의 파편

| 양준호 시집

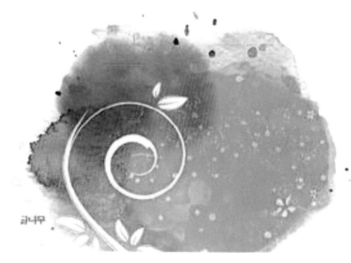

봄날 무의식의 정거장에서

양준호론 메타모르포즈의 시학

-양준호 시집『꽃의 파편』(글나무 2013)을 읽고

봄날 무의식의 정거장에서

사르트르는 미래파 다다 초현실파 표현파와 같은 언어 실험적 현상의 위기를 두고 폭발한 언어의 위기는 곧 시적이라고 말한 바 있다 그런데 이러한 언어의 위기가 시적이 되는 현상들 가운데 하나로 메타모르포즈Metamorphose 즉 변신 현상이 이에 포함된다

그것은 본질과 형태는 그대로이나 모습이 탈바꿈하는 현상으로 예컨대 애벌레가 서서히 변화하여 나비가 되는 현상을 의미한다 이는 사물의 진리를 판단하는 정신이 아니고 사물을 임의적으로 재편성하는 창조적 정신으로 불리기도 한다(정귀영 2000)

본 고는 양준호의 시집 『꽃의 파편』에 수록된 시들을 중심으로 그의 시에 나타나는 언어의 메타모르포즈적 현상에 관해 고찰하고자 한다

이는 기존 사물이 존재하는 장소에서 이탈하면서 본래적 의미와 현실적 용도는 박탈당하고 가치와 의미의 전환이 새롭게 이루어지는 현상을 일컫는다

따라서 그의 시에 표현된 언어들은 전체적 흐름에서 볼 때 각각의 의미맥락은 끊어진 채 하나의 오브제가 제시하는 의미들은 모래알처럼 떨어져 있다 따라서 각각의 오브제가 지닌 의미에 귀 기울이기보다는 시 전체의 맥락에서 실험적으로 선택된 오브제들을 바라보고 이들이 무의식이라는 통로를 거쳐 새롭게 변화된 의미를 중심으로 그의 시를 파악하고자 한다

봄날 무의식의 정거장에서

갈색제비는 소녀의 눈물 우윳빛의 눈시린 살결을 보고 있었
다 애야 수고했다 봄날 가득 봄냄새 향기를 뿌리고 간 날
업라이트피아노 속에 새울음을 날라다 준 이 누구인가 닮았
다
닮았다 성성猩猩이 노란 오렌지를 까먹고 간 봄 시로미꽃도
숨죽여 울고 가는데 가자가자가자
지리산팔랑나비 찾아 노고단까지 찾아온 솜바늘꽃의 숨가쁜
소리
이제 내 눈빛 승마의 눈동자 불태울까 말까
여기가 과연 정상인가 산정인가 또는 오르막인가
엘리엘리 라마 사막다니 오늘 또
첫눈처럼 슬퍼진 내 푸른 프테라노돈의 영혼의 흰 눈 물길로
간다 간다 또 간다 그저 저 무서운 꽃잎소녀 꽃잎소녀 분홍
손바닥의 줄소리 도미의 숨소리 훔치러 갔다

-「꽃의 파편 .5」(그날 그 음모는 불룩했지) 일부

브르통에 따르면 자동기술법과 꿈의 기술로 쓰인 작품은 서
정적 가치에 대한 전면적 재평가가 가능하고 인간의 내면을
여는 열쇠를 제공 (쉬르레알리즘 제2선언) 한다
따라서 의식 안에 현존하고 또 우리가 인정하는 표상을 의식
적이라고 한다면 잠재하는 정신 안에 존재한다고 가정하는
표상은 무의식적이라는 말로 표현이 가능하다 (초의식 심리
학)

봄날 무의식의 정거장에서

위의 시에서 성성 (중국 신화 속에 나타나는 사람의 말을 이해하고 술을 좋아하는 짐승)이나 업라이트피아노 시로미꽃은 1500미터 이상 고산지대에서 자생하는 꽃이다 이같은 시어들은 명확하게 말해 사물이 존재하는 공간은 현실 공간이 아니다

그리고 시에 사용된 오브제는 사물에 대한 긍정성 보다는 간다라는 의미 속에 부정적 의미를 부여한다. 그렇게 부여된 의미들은 울고 가는데 슬퍼진 무서운 훔치러와 같은 부정적 이미지를 지닌 오브제들과 관련되고 나아가 비현실적 공간인 업라이트 피아노 속 분홍손바닥 속에서 현실 차원을 넘어서게 된다

이 과정에서 푸른 영혼 흰 눈 첫눈 분홍손바닥 등과 같은 순수한 정신적 상황을 맞게 되며 이로써 부정적 현실에서는 다소 멀어지는 효과를 지닌다

화자의 내적 정화는 부정과 긍정 현실과 초현실적 상황을 오가면서 이루어지고 마침내 이러한 양극단적 두 세계가 서로 교통하는 절대적 초현실의 세계에 이르게 된다

즉 피아노 손바닥과 같은 오브제들은 이들이 통상 존재하는 장소가 아닌 전혀 예기치 못한 장소에 존재하면서 기존의 의미를 잊는다 새 공간을 만들고 새로운 정렬방식으로 각각의 흩어진 오브제들을 서로 받아들이는 가운데 기존의 통상적 의미는 상실되고 내적 흐름을 주도하는 교통의 의미로 오브제의 탈바꿈과 변형이 일어난다

봄날 무의식의 정거장에서

그 꽃털이끼에서는 늘 푸른 피가 울고 갔다
검은머리딱새라 부르면 초록 울음 한 방울 떨구고 가던
그 새에게 우리의 미래를 맡기진 말자한데 그 꼬마부전나비
는 어디로 갔을까 내 해골을 소중히 모시고 갔다는 소녀가 슬
피 울고 갔다는 정오 발돋움 발돋움하라 그 꽃털이끼에서는
늘 푸른 피가 울고 갔다

-「꽃의 파편」.24 (파절이 삼겹살)

J.Hadamard에 따르면 전방의 길을 명료하게 시각화하려는
시도는 혼란을 초래할 뿐이며 결정은 무의식이 맡아야 한다
(1990)고 말했다
올바른 결정을 내리기 위해 지나치게 의식화하거나 각각의
단계에 집중하기보다는 오히려 전체 구조를 통찰하면서 무의
식적으로 의미를 파악하는 의미의 해체 방식이 오히려 더 적
합하다는 의미이다 위의 시에는 많은 시적 요소들은 동시 다
발적으로 나타난다
따라서 전체적 흐름을 통찰하는 가운데 각각의 오브제를 따
로 떼고 의미를 파악하기 보다 통합적 사고로 전체적 흐름을
읽어가는 편이 쉽게 여겨진다 위의 시에서 주공간은 비논리
적으로 이루어진 통합체적 공간으로 나타난다
시에서 이러한 의미들은 환각적 존재의 움직임이 초현실과
현실의 공존을 돕는 양상으로 나타난다 꽃털이끼 검은머리딱
새 꼬마부전나비 해골 소녀라는 각각의 물체들이 서로 떨어

봄날 무의식의 정거장에서

져 존재하면서 피 울음 새 나비 등은 각기 다른 공간에서 자
신만의 독자적 세계를 구성한다

이 과정에서 이들은 서로 다른 공간에 존재하게 된다. 따라
서 꽃털이끼 검은머리딱새 꼬마부전나비 들은 기존의 의미에
서 벗어나서 푸른 피 초록울음 등과 같은 오브제와 뒤섞이는
과정에서 사전적 의미는 상실되고 명료하게 의인화되는 실험
의식이 어우러지는 현상이 드러난다

날개를 접어요
오늘 또 소녀를 몰고 오는 흰 역사의 새들은 고독한가 내 눈
동자에서 퍼덕이다 잠이 들고
귀먹은 파도 귀먹은 파도 민족두리풀
귀먹은 단조丹鳥 자 좀 거니실까요
뚜루루루 뚜 루 어디선가
순수라는 이름의 곤줄매기가 바라본 목이 말라요
피뿌리꽃 그 새 그 곤줄매기의 빨간 눈동자 속에서
바다를 잃었니 바다를 잃었니 나는야
그 새의 울음을 종일 듣고 있었다

        -「꽃의 파편 .8」(엘리시아엘리시아엘리시아)

시의 이미지는 꿈의 이미지와 유사하다는 점에 착안한 앙드
레 브르통은 꿈의 메커니즘의 파악에 몰두하여 수면 직전에

영감의 본질을 찾아내려고 했다
나아가 그는 미래의 시인은 행동과 꿈 사이의 분리라는 의기
소침을 뛰어넘는 것通底器이라고 했다 시에서 흰 새 귀먹었
다는 표현으로 반복되는 파도 민족두리풀 단조 등은 현실적
으로 비합리적 상황을 묘사한다 이로써 이들 오브제는 사전
적 의미와 고정 관념을 깨고 새롭게 형성된 공간에서 시각적
의인적 요소를 지닌 초현실적 오브제로 새로운 이미지를 완
성한다
곤줄매기는 방향감각을 상실하고 현실의 장벽에 부딪혀 붉은
눈으로 잃어버린 바다를 바라보며 우는 부정적 성향이 극대
화된 잔인성을 나타낸다 새의 울음소리는 화자 내면에 존재
하는 생명성을 깨닫는 계기가 되고 그 결과 잃어버린 자신을
찾는 긍정적 변화를 갖는다

무럼해파리 싸락눈처럼 내리고 있었다
나는 하눌타리꽃 속에서 기어나오는 한 소녀를 보았다
숯검댕이의 소녀를 열명길 가는 소녀를
마치 초승달이 초승달을 그리워하듯
나는 노랑부리저어새처럼 우-우-우 울어보았다
그래요 나는 마치 푸른 수염의 삼각따개비 사내를 그리워하
듯
그래요 나는 마치 푸른 손톱 푸른부전나비 소녀를 그리워하
듯
그 겨울 내내 소리를 잃고 간 게아재비 게아재비처럼
　　　　　봄날 무의식의 정거장에서

무럼해파리 싸락눈처럼 내리고 있었다
나는 또 하눌타리꽃 속에서 기어나오는 소녀를 보았다.

「꽃의 파편 .10」(탄차炭車)

카시라가 말하는 원시적 인간이란 실제로 자기 자신의 본성
에서 오는 필요와 소망은 객관적 성질을 갖춘 외부 세계에
투영한다(M. Bell Primitivism) 이는 자신의 본질을 밝히기
위해서 매우 필요한 현실 대응의 방식의 하나로 외부 세계에
자신을 투영하는 과정에서 결국 진실한 자신을 파악하게 된
다는 의미에서 보면 오히려 인간의 본질에 가까이 다가서려
는 노력으로 볼 수 있다
환상 세계는 현실 세계와 달리 아무런 준비없이 갑자기 나타
나므로 이러한 틀을 적용한 위의 시에서는 오히려 경이로움
마저 느껴진다 이 시에서 하눌타리꽃 속에서 기어 나오는 소
녀가 지니는 의미에 초점을 두기보다
믿기지 않는 현상을 믿게 만드는 하눌타리꽃에서 기어 나오
는 소녀 푸른 손톱 푸른 부전나비 소녀 등과 같은 여러 환상
적 요소를 더하면서 소녀의 이미지가 변모하는 과정이 더 집
중하고 읽어야 할 부분으로 나타난다
초승달 노랑부리저어새 따개비 부전나비 게아재비 무럼해파
리 등을 통해 무의미한 생명성을 표현된다 이러한 모호한 존
재들을 의식하는 밑바탕에는 화자의 내면에 깔린 비현실적
생명성을 드러내면서 이질적 오브제를 나열하고 동시에 혼란

봄날 무의식의 정거장에서

을 야기하는 과정에서 인간을 보다 넓은 지평선으로 끌어 올리(Yvonne Duplessis Le surréalisme)는 긍정적인 변화로 이끄는 계기를 가지려는 의도를 읽게 된다

나는 뱀잠자리와 잠시 해부실을 탈출했다
지금 벤저민을 그리다
거친무늬 거울 속 사라진 자는 누구냐 말려라
전쟁을 말리듯 검은머리촉새 게르치의 빗물 말리는
지금은 하오 세 시 잠결의 마이크로파
꽃봉오리에 고이는 큰 가시고기의 울음
꽃들은 뛰어라 꽃
소녀는 절대 의무 젖앓이를 앓고 있었다.

-「꽃의 파편 .14」(오늘 어디 가)

쉬르 시의 목적은 인간이 이루어 놓은 문명들을 버리고 인간 본래의 원시적 자연성으로 정신력을 되찾고 급기야는 최종적으로 자유롭게 되는 점에 가치를 둔다
그래서 비논리적 의미를 던지고 순수 이미지를 통합하는 과정에서 언어와 행동 정신과 육체 의식과 무의식들은 자유로이 넘나들며 활동한다 논리적 분석은 사라지고 스스로 분열하기에 이른다
위의 시에서 해부실은 삶과 죽음이 공존하는 공간이자 산 자

봄날 무의식의 정거장에서

가 주검을 점검하는 장소가 된다 화자는 이 해부실을 탈출하고 주검과 만나던 생활을 벗어 던지고 뛰어나가 꽃 소녀 등과 같은 살아 있는 생명체와 다양한 감정을 교류한다

이로써 뱀잠자리 검은머리촉새 게르치 등은 비현실적 행동을 통해 기존의 의미망에서 탈출한다 마찬가지로 큰 가시고기 역시 기존의 장소에서 이탈하여 꽃봉오리에 고인다는 새로운 의미를 구축한다

따라서 이들 오브제는 기존의 의미망을 넘어서서 시공간이 뒤섞인 절대 공간 안에서 새로운 의미를 지니는 혼란한 상황을 유발시킨다는 점에서 나아가 이들이 전혀 새로운 모습으로 바뀌는 의미망을 구축한다

시클라멘 오줌을 누고 간다 너 부처나비는 되찾았니
어디선가 서른 세 번의 종소리 울고 간다
만신창이 소녀들 어디로 갔는가 애소금쟁이
애소금쟁이 문득서편 하늘가까치살무사는
낮달에 기대어 잠들고 갔다

                         -「꽃의 파편 .23」(너,금테 둘렀니)

프로이트의 말에 따르면 현실감이란 요령을 잡을 수 없는 무의식의 환상을 내용으로 할 때 가능하다 이 무의식적 환상은 융이 말하는 다양성과 변형을 바탕으로 한 원형에 가까우며

무수한 산물의 기원이자 문화현상을 바라보는 틀의 원형개념
에 해당된다 원형이란 인류가 보편적으로 갖는 사고 방식 감
정 행동 양식 등을 의미한다 (정귀영 2001)
위의 시에서 시클라멘 오줌 누는 장면은 몽상과 환각이 어우
러진 무의식 상태에서나 인식이 가능하다 또 부처나비 소녀
소금쟁이 까치살무사와 같은 존재들 역시 무의식적 환각 형
태로 혼합되어 표현된다
그래서 좀체 현실과 같지 않으며 내면에서 분출되는 형태로
비합리성을 띤 채 무의식에 접근하는 방식으로 쓰인다 시에
서 애소금쟁이와 존재하는 공간은 의식과 무의식이 교차하는
혼돈의 공간으로도 볼 수 있다
이들 오브제들이 무의식을 공간을 스쳐 지나가는 동안 내면
에 존재하던 단편적인 생각들이 어떤 논리적인 흐름이나 관
계가 배제된 채 뒤엉키고 엮여 다양하게 변형되는 환상성을
지닌다

포인세티아 깊게 잠든 바다의 한낮
보구치떼 내 눈동자 초록 구름에 몰려들었다
꼬까도요 너는 어디로 갔니
나는 또 가죽나무 꽃기운에 내 소녀의 틀니를 걸고 온다

                    -「꽃의 파편 .26」(이 집엔 개가 없나보지)

            봄날 무의식의 정거장에서

융에 따르면 바다는 무의식을 상징하며 모든 생명의 어머니가 된다 쉬르시의 오브제들은 혼돈 속에서도 질서를 나타내며 이는 신화 속에서도 발견이 가능하다

내면 깊이 잠재된 능력과 그것을 기술해 내는 쉬르 기법은 물질보다는 마음의 세계로 접근 가능한 점을 전제로 초자연적 현상을 표현한다

시의 공간은 바다이지만 포엔세티아 바다의 한낮 보구치떼 구름 꼬까도요 소녀의 틀니 등은 전혀 상관 관계가 없는 초현실적 오브제들이 한 공간에 존재한다

서로가 갖는 조형적 만남은 전혀 예기치 못한 이미지의 충돌로 이전에 지녔던 의미들은 사라지고 전혀 이질적 의미를 새롭게 부여받는다

소녀의 틀니는 비현실 상황에서 언어의 전위를 사용하며 이는 현대 문명에 대한 거부감으로 표현된다 위의 시에 등장하는 포인세티아 보구치떼 꼬까도요 소녀의 틀니 등의 사물은 의미의 현실성이 사라지고 그 대신 무의미 차원의 새로운 의미망을 형성하면서 이전의 의미와는 전혀 다른 다소 엽기적이기까지 한 새로운 시도와 변형을 뜻하는 의미망을 구축하는 오브제로 자리 잡는다

이젠 말려들지 말아야지
큰잎산꿩의다리는 해가 뜰 때까지 달을 포끽(飽喫)하고 있었다
큰유리새 혈성남자를 따라간 지금

봄날 무의식의 정거장에서

큰뱀무꽃은 어디에서 내 눈 가리고 있을까
어머니 혹여 비틀비틀 바다로 가던 허공장보살을 보셨나요
포마토는 늘 새의 마음을 느글거리게 하는 한낮
가자 그래 너로구나 너로구나
나를 아는 이 너로구나 스캔들 스 캔들
소녀들은 삼손의 푸른 잎새를 따르고 있었다.

-「꽃의 파편 . 11」(언수도 녹임)

달은 무의식의 심층을 비추는 직접적이고 직관적이며 정신적
지혜의 원천이 된다 또한 달은 서로 멀리 떨어져 있는 두 실
재實在를 접근시킨다(Nord-Sud 1918)
위의 시에서는 허공장보살이라는 불교적 오브제와 삼손의 푸
른 잎새와 같은 기독교적 오브제들을 용해시키려는 시도가
나타난다 큰잎산꿩의다리 달 포마토 한낮 등과 같은 실재들
은 서로 동떨어져 있지만 시에서는 한 공간에 두면서 기존의
의미를 박탈시키고 전혀 이질적이고 새로운 이미지를 도출하
려는 시도가 나타난다
이는 감자와 토마토를 융합한 포마토와 같은 시어 사용에서
확인가능하다 이는 이질적 사물의 병치에서 오는 충돌이 새
로운 제3의 사물을 표현하고 그 결과 기존의 현실적 의미는
사라지고 비현실적 의미를 생성한다

봄날 무의식의 정거장에서

내 기억 내분비샘에서 놀던 버들볼락은 정오의 사이렌 소리
에 귀 기울이다 갔습니다 새 너는 무엇하니
내 기억 내분비샘에서 놀던 백작약은 정오의 소녀의 젖가슴
사이렌 소리에 귀 기울이다 갔습니다 새 너는 무엇하니
내 기억 내분비샘 속에서 놀던 암시의 알락도요 철로 정오의
사이렌 소리에 귀 기울이다 갔습니다

「꽃의 파편 .34」(이제,10分만 줘)

미학과 도덕적 규범에 구애 받지 않고 이성에 의해 훈련된
조정도 받지 않은 상태에서 사고의 지배를 받는 초현실주의
는 수퍼리얼리티에 그 본질을 둔다 하지만 이는 신비의 영역
내에서 존재한다
이는 말하자면 브르통이 말하는 우연성에 해당된다 한편 이
는 전통적 서정성을 토대로 하는 시적 미학과 개념을 떠난
사실 인식에 근거한 인식론적 접근방식을 필요로 한 시쓰기
방식을 고수한다
사회에 대한 변혁과 갈망이 나타나는 동시에 무의식으로 통
하는 자유연상에 의한 언어의 자유결합에 해당되며 그에 의
해 체계화된다
위의 시에서 사이렌 소리 버들볼락 사이렌 소리 알락도요처
럼 서로 다른 오브제들을 접근 나열하는 과정에서 부자연스
럽지만 공간에 존재하면서 이전의 이미지와는 달리 복잡한
현대성을 나타내는 새로운 이미지를 생성한다

봄날 무의식의 정거장에서

이 경우 이들 오브제들의 형성은 우발적 형태로 이루어지고 규칙성은 완전히 배제된다 하지만 이러한 오브제들의 이미지 충돌에서 오는 신선함은 오히려 기존의 이미지를 가장 빠른 속도로 잊게 만드는 효과를 가져온다

참비둘기는 내게로 온다 참비둘기는 내게로 온다
지금나의내장속에서울고간유리꽃등에를사살하고
간소녀의눈빛은푸른손바닥에젖어가는데...
유리딱새 유리딱새 아 유리딱새
얼룩참집게가 몰고 간 노오란 낮달은 아직 보이지 않았다

  -「꽃의 파편 .33」(삼색제비꽃, 동그라미 흘리다)

프로이트에 따르면 대부분의 사람들은 에덴의 풍경을 집단 무의식의 상징으로 여긴다 쉬르의 세계에서는 삶과 죽음 현실과 꿈 의식과 무의식이 서로 밀접한 관계를 유지한다 이 관계에서 보면 과거 현재 미래는 한 지점에 공존하는 과정에서 발생하고 나아가 이들은 영원성을 구가한다 다양한 경이로움을 도출하는 과정에서 의식의 자유로움을 만끽한다
시에서 참비둘기가 날아오는 곳은 현실 공간이며 화자 내면은 비현실적 공간으로 내부 환상을 투영한다 참비둘기 소녀의 눈빛 손바닥 유리딱새 얼룩참집게 낮달로 이어지는 자유 연상과 형식은 구분이나 분리에서 오는 합리성이 사라진 공
봄날 무의식의 정거장에서

간이다

이 공간은 인간의 내면 깊숙이 들어있는 다양한 오브제들로 이루어지는 비선형적 양상을 띠는 점으로 보아 무의식의 양상들이 무리지어 쉽게 표출되지 않는다

하지만 각각의 오브제들이 기존의 장소에 존재하기보다는 서로 뒤엉켜 어디에도 존재하지 못하는 곳에 새롭게 존재하는 방식을 떠올려 이미지의 신선한 충격을 갖게 한다

꽃잎처럼 날리는 이름을 줍고 간다
꼬마잠자리의 눈물처럼 내 눈 속에서 이글대던 가슴 젖가슴을 본다   아가 꼬마도요는 어디로 갔니
바다의 감옥에서 빠져나오는 꼬마망둑은
새로운 물고기의 누드 사랑빛을 꿈꾸는데
아가   꼬마알락희롱나비는 어디로 갔니
아가 검줄비단고기는 어디로 갔니 그래
그것은꽃 잎뿐이었어
오늘 또 나는 종일을 꽃잎처럼 날리는 시인 한 시인(詩人)의 비애를 줍고 간다

-「꽃의 파편 .35」(외부여자 주차금지)

어머니는 모든 것을 하나로 품는 본성을 지니지만 생육문제에서만은 자기와 분리된 어린애를 변화 발전시키려 노력한다

봄날 무의식의 정거장에서

즉 모성은 상처를 치료하고 일의 성과를 올리는 힘으로 존재하며 또 사물을 변화시키는 힘을 가진다 (정귀영 2001)

위의 시에서 사랑과 비애는 서로 줄지어 지나간다 이는 현실의 사랑에 대한 결핍이자 자기가 존재해야 할 장소성을 상실하는 과정에서 현실공간을 환기시키고 이로써 떠나간 사물들을 찾으려는 확인이 시작된다

결국 비애를 줍는 현실로 전환되는 행동 양상에 닿아 있다 즉 작가의 내면에 존재하는 이미지들을 선택하여 시의 공간을 메워 가는 방식으로 진행된다

이는 개인적이며 은밀한 상징성을 거쳐 독창적 표현으로 나아가며 난해함이 더해지는 상황은 신비함을 표출한다 꼬마도요 꼬마망둑 검줄비단고기 등이 화자의 뿌리라는 한 공간에 공존하여 새로운 이미지를 도출하는 오브제이다

누구 내 가슴지느러미 좀 찾아줘
하늘 경계선 나에게로 끼룩끼룩 온다
아가, 노랑투구꽃은 어디로 갔니
아직도 내 딸들은 푸드드 오리나무더부살이의
바다를 건너고 있다는데 푸드드푸드드
바알간 청미래덩굴이 지나간 또 홍옥치가 지나간 곳에서
나는 꽃을 보는 법을 눈시울 적시는데
그쳐라 꽃 누이는 갈색 유두를 바다에 숨기고 온다

-「꽃의 파편 .20」(114 해장국)

봄날 무의식의 정거장에서

D.H. 로렌스에 따르면 여자는 미지의 세계와 직접 교통시켜 주는 존재'라 했다 그래서 그는 인간적 차원에서 불측부자의 신에 통하는 문으로 여체로 생각한다 이처럼 성은 생명성과 에로(원시적 생명성) 무한한 신비 몽롱한 안개 속 같은 현실과 환각 사이에 존재한다

육체에서 해방 속 자유로운 상태로 시공간적으로는 무한한 영역으로 확대된다 인간의 가장 원초적 욕망의 전형이 성이다 현대문명은 이러한 욕망을 억압하며 이러한 원초적 욕망의 피난처로 환상을 택한다

위의 시에서는 환상의 오브제로 소녀의 신체를 성에 대한 환상적 이미지를 표현에서 나아가 딸 등에서 오는 의미의 충돌을 완충시키고 나아가 화해하고 통합 세계를 지향하는 존재로 누이의 유두를 지목하는 가운데 현실과 환각적 요소를 표현한다

나는 꽃잎 속에 휩싸여 갔다 어디선가
검은 지느러미 달고기가 요요 울고 갔다 어디선가
북도사슬뱀이 요요 울고 갔다 어디선가
검은머리딱새가 요요 울고 갔다
아 나는 왜 이렇게 어지럽지어지럽지
그래 그빗방울 하나 둘 셋 그래 그
다시 나는 꽃잎 속에 휩싸여 갔다.

봄날 무의식의 정거장에서

「꽃의 파편 .29」(하늘 문門)

바슐라르는 우리의 상상력의 영역에서 불 공기 물 흙 등이
어느 것과 결부되느냐에 따라서 다양한 물질적 상상력을 분
류하는 4원소의 법칙을 규정한다 (Gaston Bachelard)
위의 시에서 보면 이러한 상상력과 관련지어 내가 사는 공기
달고기가 사는 물 북도사슬뱀이 기어간 흙 과 같은 물질의
원형과 상상력을 결부짓다 보면 초현실성을 갖는 언어적 표
현은 그의 원시적 정신성과는 거리가 있다는 점을 알게 된다
왜냐하면 위의 시에서 화자가 꽃잎에 휩싸인다는 환상과 달
고기가 울고 가는 화자의 내면에서 절충되지 않은 현실은 생
물과 무생물의 경계가 환상과 현실의 경계를 허물고 있으며
주체와 객체가 다 같이 생명과 정신을 지닌 존재로 초현실의
세계 속에 적응되기를 요구하는 의미가 포괄되어 있기 때문
이며 4원소의 법칙에 적용되지 않을 수 있기 때문이다

깃털 사이 꽃은 오늘 샤워중
내 발바닥에서 한 새가 울고 갔다
바다 밖에선 분홍의 누드 눈은 내리고
글쎄 소녀의 눈썹 위 눈은 내리고
새가 토한 새라는 언어 아 나란 나는 어디로 간 것일까
수족관에서 깃털나비 오늘도 길을 잃었다는데
　　　　봄날 무의식의 정거장에서

우-우-우우 오늘도 내 손바닥 한 새가 울고 갔다

- 「것」

프루스트에 따르면 기억은 지적 습관적 기억에 해당하는 유
의적 기억으로 일상적 사회적 사건에 대한 기억이 있고 다른
하나는 자생적 감정적 기억으로 무의식적 기억이 있다 그런
데 이는 비실체적이며 유의적 기억에서 탈각한 순수기억으로
무의식 가운데 잠재하는 기억에 해당된다

이는 자기 내부 잠재 무의식 속에 시공을 초월하여 잠긴 기
억의 심상을 소생하는 무의식적 기억이며 연상에 해당된다
어떤 감정을 계기로 연상되어 되살아나는 기억이 이에 해당
된다

쉬르 시의 오브제가 지니는 특성 중의 하나는 장소가 지니는
특이성이다. 시에서는 발바닥 눈썹 수족관 손바닥과 같은 전
혀 예기치 못한 장소에서 일어나는 엉뚱하고 기괴한 느낌마
저 주는 사물의 공존이 나타난다

마찬가지로 이러한 장소의 특이성은 비논리적으로 무의식과
연관되어 있고 기억의 내부에 존재하던 오브제들이 불현듯
의식 위로 떠오르는 현실적 상황과 비현실적 무의식의 상황
이 혼란스럽게 뒤엉켜 있는 모습이 나타난다 나란 나는 어
디로 간 것일까

오늘도 길을 잃었다라는 표현 속에서 잠재된 기억들을 떠올
리는 과정으로 눈 수족관 손바닥이라는 공간과 소녀 새 나

봄날 무의식의 정거장에서

깃털나라는 생명체를 지닌 오브제들은 움직이며 나아가는 곳
이 부정적 의미를 띠는 슬픈 공간에 존재하는 모습으로 비춰
진다

그날, 낯선 꽃뱀은 낯선 소녀를 뒤따라갔다
이승의 일인가 저승의 일인가 문득 어제의 햇살이 울다가 갔
다
문득 어제의 구름이 울다가 갔다 문득 어제의 파도가 울다가
갔다
문득 물고기란 이름 떠올리다가
소녀의 눈동자 달빛으로 빛나던 자리
똑 꽃이 세 번을 울고 갔다

-「분수」

뱀은 주기적으로 허물을 벗는 것으로 생명과 부활을 상징한
다. 또 뱀은 남근을 상징하며 예견할 수 없는 존재 비밀 모
순 등을 나타내기도 한다
나아가 원초적 본능 영적 활력 태고의 미분화된 혼돈 등을
의미하기도 한다 또한 물을 가져가거나 가져오는 존재로서
달의 수호자이기도 하여 여성적 힘을 상징하는 달과 통합된
의미를 지닌다 (진쿠퍼)
위의 시에서 꽃뱀이 소녀를 따라가는 상황이 전개되고 이는
봄날 무의식의 정거장에서

성적인 의식을 의미하는 환상성을 지닌다 이는 현실공간에서
벗어난 장소에 물고기를 떠올리지만 다시 액자 형식의 환상
성 속으로 빠져드는 과정에서 소녀 구름 파도 꽃들이 울고
지나가면서 이미지가 어우러져 새 의미망을 구축한다
시에서 이러한 오브제들은 화자의 내면이라는 새로운 장소에
서 이미지가 가공되고 수정되면서 기존의 이미지는 벗어버리
고 새로운 의미와 해석을 부여하게 된다
위의 시에서 주된 오브제에 해당되는 꽃뱀 소녀에 대한 객관
적 묘사는 남근 상징과 원초적 본능을 떠올리며 동시에 이승
과 저승 어제와 오늘이라는 정신의 에크랑(écran)이 흘러가
는 말하자면 유동적 의식의 주관적 표현이 동시공존 수법으
로 나타난다

누가 물미거지의 울음을 듣고 가나
검은줄희롱나비 제 영혼을 찢고서 간다
그럼 나의 하늘영혼 어디서 찾을까
깃털이 짝수 겹잎으로 피고 있는 분홍 플랑크톤의
검은 댕기해오라기여 검은 건반낭아초여
이제 내 눈망울 꽃양산으로 불타고 난 후
나는 다시는 이 비밀과외를
노오란 땅채송화와 손가락 걸고 서녘 하늘에 심는다

「꽃의 파편 .4」(괭이상어 한강을 점령하다)

봄날 무의식의 정거장에서

벤투리에 따르면 상상력이란 현실에 침투하여 이성과 협력하여 경험의 모든 사실을 관련시키며 지각적 작용에 의해 제공받은 이미지를 변형시키는 능력으로 이는 은폐되었던 이성의 인식을 불러일으킨다 의식의 흐름을 상식적 의미연락이 아니라 단속Discontinuity적으로 기록하게 되는 시의 경우 내적 독백은 필연적으로 나타난다

이는 일관된 줄거리나 연락이 없으며 시간관념으로 배열되지는 않는다 이 경우 위의 시에서는 서술어를 통해 이러한 의미들을 되짚어 읽을 수 있다

내적 독백이 나타나는 부분은 듣고 가나 찢고서 간다 어디서 찾을까 등으로 내면적 중얼거림으로 들린다 나비는 초현실적 생명의 날개를 의미하며 이를 찢는 의미는 죽음을 뜻하고 화자의 지각적 작용에서 비롯된 이미지의 변형적 상황에서 이성적 인식을 찾아낸다는 의미에 해당된다

눈망울 꽃양산으로 불타고 난 후에서는 죽음과 삶의 경계를 넘어서는 의미를 지니며 서녘 하늘은 죽음 혹은 비탄과 관련지어 생각한다 의식단계에 있는 물미거지 울음소리에서 여러 단계로 확산되는 플랑크톤 꽃양산 땅채송화 등이 나라는 화자의 존재가 의식과 무의식의 두 영역 사이에서 보다 세분화과정을 거치면서 의식의 잔가지를 치고 무의식의 영역은 확장된다

내 몸에 등불을 켜놓은 사람은 검독수리의 울음을 듣지 못한
봄날 무의식의 정거장에서

사람이고 또 내 몸에 등불을 켜 놓은 사람은 〈중략〉 꽃밭으로 숨어든 연분홍산호는 어디로 갔니 글쎄 아직은 내 몸에 등불을 켜야 하는데 저 하늘 울리는 무늬발게 빨간 눈물 흘리고 갔다

-「꽃의 파편 .9」(전단지 금지) 일부

아라공에 따르면 우연 환각 환상 꿈 등의 서로 다른 종류들이 한 장르에 모여 화해하는 것이 초현실주의이다 (Louis Aragon) 우연히 마주치는 장소에서 마주치는 사물들이 부지불식간에 서로 충돌하여 전혀 새로운 이미지를 만드는 무의식의 오브제는 일상적 영역에서 탈피한 채로 사물 자체가 내포하는 통합 지점을 새롭게 만들고 독자는 이를 발견하는 가운데 신선함을 느낀다 그런데 이는 현실 속의 일상과 생각속의 환상이 뒤섞인 채 나타난다
위의 시에서 내 몸에 등불을 켜 놓은 사람은 환상 속에서 존재 가능한 인물이다 마찬가지로 꽃밭으로 숨어든 연분홍산호는 초현실성이 현실을 파고 든 상황으로 외적 현실에 대한 무의미를 통해 기존의 사물들이 질서를 벗어나고 새로운 의미를 가진다 무늬발게에 감정이입하고 의인화하는 과정에서 환각을 유발하여 새로운 인식의 단계를 맞는다

림프구는 잘 수습했니 누군가
　　　　　　　봄날 무의식의 정거장에서

나의 방죽에 속단꽃 뿌려주고 있었다
하오下午다 하오下午 하오下午
아침 저녁 버찌를 포식하던 허파문 검은지빠귀는 어디로 갔
나
절뚝절뚝 절 뚝 절 뚝 멀리 난바다의 회색 방파제
마리아 막달레나 정오내 꽃잎을 기다리다 갔다

-「꽃의 파편 . 15」(너나 잘 하세요)

상상력은 현실에 대한 보다 충실한 탐구를 위해 인식기능의
하나로 작용되는 발상의 근원이자 주관과 객관 물질과 정신
현실과 비현실 가시와 비가시 사이의 갈등 구조 속에서 균형
잡기 위한 메타포로 작용된다 (윤진섭 1992)
시인의 상상력은 쉬르 시에서는 이성이 배제되고 꿈과 현실
이 하나로 융합된 상호 모순된 정신의 장소가 존재하는 절대
자유를 꿈꾸는 꿈과 일맥상통한다 꿈은 의식이 활발하게 작
용하는 자유의 경지이며 쉬르레알리스트에게 전능의 특권이
부여된 공간이다
위의 시에서는 립프구가 있는 장소 방죽 허파문 방파제 등에
서는 기존의 사물이 존재해야 할 공간이 아니라 전혀 이질적
이며 예기치 못한 장소의 기괴성이 나타난다
이로써 일상적 용도로 사용되는 기존의 장소성은 사라지는데
이는 꿈과 현실을 하나로 융합하는 과정에서 나타나는 현상
을 들어 사물이 현실의 기존 질서에 얽매이는 현상을 탈피하

봄날 무의식의 정거장에서

려는 의도가 나타난다

그 결과 기존 가치는 전복되어 버리고 사물의 새로운 의미전환을 이룬다 이는 오브제의 시적 변모에 해당되며 이로써 기존의 장소성은 방죽에 뿌려진 속단꽃 난바다의 회색 방파제 마리아 등이 어둡고 때로는 비정상적인 형태로 변화되는 부정성이 강화된 의미로 변화한다

이처럼 초현실주의 시에서는 꿈과 욕망의 세계를 해방시켜 예술과 삶을 새롭게 하기 위해 자동기술을 택하는 다양한 시도를 통해 일상을 역전화하여 낯선 현실로 묘사한다

사진 속 이중섭이 담배를 피는 모습은
나는 무심히 풀협죽도꽃 속으로 들어갔다
내 과거의 기억 속에서 노란 파피루스 나를 기다리고 갔다는
소식　서러워 꽃이라는 단어에서는 자꾸 동수구리가 생각나
는 봄
나는 또 무심히 풀협죽도꽃 속으로 들어갔다

「꽃의 파편 .25」(버글버글버글)

인간은 망각의 방식으로 과거의 기억 원형을 깨우는가 하면 이를 통해 새로운 생명력을 깨닫기도 한다 때로는 인간의 생각은 잠시 일상에서 떠나 환상 속 다른 세계를 여행하는 몽환 속에서 꿈과 일상을 융합한다

봄날 무의식의 정거장에서

잠재된 무의식을 현실 속으로 혹은 몽환 속으로 들여오는 과정에서 인과 관계나 이성적 논리는 배제되고 긍정도 부정도 해소되는 우연한 정신의 질서가 통일되는 꿈을 꾼다

우연히 자연발생적 흐름을 가져오는 원천이 되는 이 시에서는 현재와 과거가 한 공간에 존재하면서 환상성은 확장된다 그런데 위의 시에서 화자는 이러한 몽환을 이행하는 주체가 되어 있다

사진 풀협죽도꽃 속 기억 속으로 여행하는 화자는 현실적 장소를 버리고 현실에서 떠나가 있는 동안 현실의 공간은 초자연적 힘과 접촉하고 이 과정에서 꿈과 일상은 융합되고 꿈의 공간이 현실적 용도는 탈당한 채 새로운 이미지를 창출하는 이성적 논리가 배제되는 오브제들로 재편성된다

위의 시에서 시의 오브제들은 화자가 풀 협죽도꽃 속으로 들어가는 점 그리고 꽃과 화자를 기다리다 간 노란 파피루스에서 기존의 꽃들이 지니는 정체성을 벗어버리고 자발적으로 움직이고 행동하는 주체적 성향을 지닌다

WHY란 물음으로 새의 날갯짓은 시작된다
백지白紙 너는 어디로 갔니
내 눈썹의 금 속에서 까만 세이지 울고 갔다
어제 각혈하던 어제의 새는 어디로 갔을까
백지야 내 눈썹의 금 속에서 까만 세이지 울고 갔다

「WHY」

봄날 무의식의 정거장에서

쉬르레알리즘은 일상적 지각의 현실성을 의심하는 동시에 경신하는 예술에 의하여 현실주의자와 환각적 태도의 양쪽을 포함한다 쉬르레알리즘의 빛에 비추어지는 상상력의 새로운 세계는 현실도피적 망상이 아니라 현실에 대한 풍부화이다 (R.cardina R.S.S. Surrealism)

위의 시에서 새의 날갯짓 백지 세이지는 각기 다른 장소에서 존재하지만 상상력의 세계 속에서 공존하거나 혼합하는 양상이 가능하다

이는 현실적으로 존재해야 하는 장소에서 떠나 장소감을 상실해 버린 채 각각의 오브제들이 환상의 세계에서 가치의 전환을 실현하는 현실과 환각의 양면성을 모두 가지는 경우에 해당된다

이러한 오브제가 갖는 특징과 형태는 이질적 결합으로 결과적으로는 현실에서의 이탈을 꿈꾸는 환상으로 나타난다 시의 오브제는 화자의 눈썹 속에서 울고 간 세이지의 감정을 의인화하여 기존의 이미지를 변화시키게 된다

시에서 세이지는 이상 기존의 의미를 잃어버리고 화자에 더 적합한 모습으로 탈바꿈하여 의미변화가 일어난다 양준호의 시집 『꽃의 파편』(2013)에 나타나는 초현실주의 시기법은 기존의 소한진 조향 이상의 초현실주의 시적 특징과 다소 이질성을 지닌다

왜냐하면 그것은 비선형적 구조 속에서 복잡성을 지닌 채 현실과 환상의 융합이라는 질서를 갖는 동시에 이 과정에서 초

봄날 무의식의 정거장에서

현실성을 지니기 때문이다

이러한 새로운 초현실성의 구조를 만들고 발견하는 방식으로 꽃이름이나 다소 생소한 사물들의 이름들을 시의 오브제로 들여온다 이로써 초현실과 현실을 오가면서 두 세계가 상통하고 융합하여 초현실주의가 추구하는 절대 현실을 구현하게 된다

이러한 오브제의 등장은 모든 정신을 흡수하는 초현실성의 원동력을 꽃으로 보고 병약함과 쇠퇴를 극복하고 건강한 창조성을 갖는 기준으로 적용된다

그의 시에 나타나는 특징으로는 주제어로 꽃 이름 포함 꽃(64편) 꽃지칭(34편) 소녀(26편) 나(44편)가 언급되며 이들은 쉽게 접하는 동식물이 아니라 의도적으로 찾아낸 구사한 사물체로 등장한다 그런데 이들은 기존의 사물들이 존재해야 할 장소에서 이탈된다

그런 과정에서 새로운 의미를 획득하고 이로써 보다 살아 있는 의미 전달이 이루어진다 철저하게 비논리적 통합체를 이루는 꽃의 존재를 위해서 때로는 꿈과 현실 때로는 현실과 비현실 현실과 환상을 오가면서 기존의 의미를 벗어버리고 순수 이미지의 통합성을 추구한다

그 과정에서 언어와 행동 정신과 육체 의식과 무의식은 경계를 허물고 자유롭게 두 영역을 오가며 활동하며 이 과정에서 이성적 논리는 사라진다

결론적으로 그의 시가 지니는 오브제들의 메타모르포즈적 성향은 몇 가지 유형으로 나뉜다 첫째 부자연스러운 현실적 접근 형태를 주도하며 오브제들이 가진 기존의 현실적 공간을

봄날 무의식의 정거장에서

버리고 기괴성을 지닌 비현실적 공간이 갖는 새로운 이미지를 충돌시키는 과정에서 기존의 오브제가 지닌 현실성이 사라지고 환상과 현실의 융합이 형성된다

둘째 시공간을 공존 시키는 과정에서 특정 오브제들을 한 공간에 견주어 놓거나 같은 공간에서 다양한 오브제만을 움직이며 지나가는 방식으로 기존의 공간을 새롭게 창출하는 이미지 효과를 나타낸다

이로써 이전의 이미지와 바뀐 이미지는 현실과 환상의 혼합으로 두 오브제 간의 경계는 해체되어 새로운 오브제들의 통합 세계를 발견하고 이로써 기존의 오브제가 갖는 이미지를 털어내고 새로운 이미지를 구사한다

셋째 순수한 소녀의 표상과 성적 오브제가 갖는 현실과 환상의 융합은 욕망의 충동에 대한 억제 및 화해로 나아가는 한편 초현실주의가 추구하는 통합적 순수 세계를 지향한다

끝으로 그의 시에 나타나는 오브제들은 기존 의미망을 통과하면서 현실과 환상의 융합을 거쳐 새로운 세계를 구축하는가 하면 새로운 모습으로 비춰져 기존의 오브제가 갖는 이미지들은 사라지고 변형되고 변모된 이미지를 방출하는 가운데 오히려 신선함을 보인다

그 이유의 하나는 새롭게 접하는 꽃이름 새이름 물고기 이름들이 이러한 생경한 시의 환경에 접목되어 기존의 틀을 깨고 전혀 다른 이미지를 형성하는데 기여하고 있기 때문이다

봄날 무의식의 정거장에서

시문학시인선564 산은 생각 끝에 새를 날리고

차영한 시집

봄날 무의식의 정거장에서

차영환론 지리적 공간의 서정성

시집 『산은 생각 끝에 새를 날리고』를 중심으로

봄날 무의식의 정거장에서

루카치에 따르면 총체성(totality)이란 가치 평가의 기준이므로 결정적 중요성을 지니는 동시에 현실의 기준이 된다 그는 인간이 현실을 포착할 수 있는 위대한 도구 중 하나가 예술이라고 본다 다른 어떤 예술보다도 시는 다양한 의미 관계를 통해 삶을 형상화해 왔다

시의 현실은 실제보다 더 현실적이고 때로는 시에서 묘사된 미지의 세계를 동경하면서 현재의 고통은 상쇄된다 또한 기대하지 않았던 존재를 확인하며 기뻐하거나 혹은 슬픔에 잠기는 감정의 소용돌이 속을 헤매기도 한다

우리는 시를 읽으면서 미처 깨닫지 못한 자아를 발견하거나 혹은 부조리한 현실을 깨닫고 되돌아보거나 새 삶의 활력을 충전하며 이를 매개로 삶에 대한 증언 가능하다 시는 시인의 내면에서 사회와의 소통을 전제로 하므로 삶과 상호 수용 관계에 놓이거나 등가 관계로 발전하기에 이른다

시인이 자신의 경험을 바탕으로 현실적 삶에 대한 의미를 구체화하는 과정에서 시가 탄생한다 이는 사회적 존재 여부 속에 개인의 감각과 의식을 두기 때문에 가능한 일이다

통영에서 태어나고 살아온 차시인의 삶과 시를 들여다보면 통영과 그는 떼려야 뗄 수 없는 불가분의 관계에 놓인다 그는 여섯 권의 시집과 두 권의 평론집을 상재한 탄탄한 필력을 가진 시인이다 첫 시집『시골햇살』(시문학사 1988)에서는 통영의 풍물과 향수를 가장 응집된 시어로 정감 어린 이미지를 축약하여 독자에게 전달한다 사물을 천천히 여유롭게 바라보고 또 사랑 어린 눈길을 서로 주고받는 소박하고 따뜻한 시를 담아낸 이 시집에서는 정의 원형과 회복성에 중심을 두

봄날 무의식의 정거장에서

며 삶의 여유에서 오는 겸허함 전달된다

두 번째 시집이자 최초의 연작 시집인 『섬』(시문학사 1990)에서는 통영 앞바다에 있는 한려 해상의 한 섬이 고향이라는 현장성 있는 공간으로 다가와 의미화 과정을 거치면서 초극 절제의 세계관을 보여준다

어떤 가식적 기교도 넘어선 채 스스로를 정화하는 한편 자연 속의 진정한 삶과 영원한 생명성이 서정적 감수성으로 시화된다 세 번째 시집 『살 속에 박힌 가시들』(시문학사 2001)에서는 일상의 삶 속에서 느끼는 좌절과 시대적 상황 속에서 절실한 분노를 풍자와 고발로 표현한다

허세와 허영을 질타하는 해학성을 지니는가 하면 독설도 서슴없이 세상을 향해 던지는 부분에는 날이 서 있다 이 시집에서는 특히 구어체와 토속어 관용구를 잘 활용하여 그의 시가 당대 현실의 삶과 깊이 밀착된다

네 번째 시집 『캐주얼 빗방울 』(한국 문연 2012)에서는 차 시인의 다른 시에서 볼 수 없는 언어 질서에 대한 우수성과 독창성이 보이는데 이는 시들이 뿜어내는 강한 생성 에너지가 보여주는 무한한 가능성을 확인하는 계기가 된다

다섯 번째 시집 『바람과 빛이 만나는 해변』(한국 문연 2016)에서는 바다에 대한 새로운 인식과 방법론을 모색하였으며 특히 초현실주의 기법을 사용하였기에 앞서 쓰인 바다를 소재로 한 다른 시들과는 차별성을 둔다

병치 통사론적 비문 환상 등의 낯설고 환상적인 방식으로 언어의 상식을 전복시키는 이미지의 충돌을 일으키는 난해한 바다 음악적 메시지가 가미된 시적 연상과 상상을 들여왔다

봄날 무의식의 정거장에서

여섯 번째 시집이자 두 번째 연작시집인 『무인도에서 오는 편지』(도서출판 경남 2017)에서는 바다가 화자에게 보내온 메시지를 읽고 그 바다에 답신을 보내고 우주를 순환하는 생명체의 의인화에 역점을 두었으며 섬은 시인의 삶에서 쉼표가 된다

지금껏 상재된 각각의 시집들은 서로 다른 방향성을 표출하며 그의 시세계 역시 쉽게 단정내릴 수 없는 다양한 특성을 지닌다

이번 시집 『산은 생각 끝에 새를 날리고』에 실린 시들은 현실 속에서 살아온 그간의 삶의 여정이 고스란히 녹아 있다 이를 외부와 내부가 균열되지 않은 상태의 형이상학적 원을 뜻하는 총체성이라는 관점에서 그의 삶을 표출하는 시를 대상으로 살펴보았다

일상적 삶이 녹아 있는 시들의 주제는 토박이말과 길을 중심으로 논의하며 자연을 중심으로 표출된 내면적 서정에서는 불교적 가치관과 자연일체의 가치관을 중심으로 논의한다

일상적 삶의 두 얼굴 통영 지역 토박이말

한 지역의 토박이말은 그곳에서 사는 사람들의 삶을 표상하며 동시에 언어 표현의 민낯이 그대로 드러난다 이는 사람 사이에서 거리감을 없애주는 동시에 공동체적 결속감을 높여주는 정감 있는 의사소통 수단이 된다 그의 이번 시집에서는 특히 통영지역 토박이말을 드러내는 특성을 보인다

국립국어원에서는 그 지역 토박이말을 사투리로 표현한다 흔

봄날 무의식의 정거장에서

히 토박이말은 J Séeguy식의 구획 방법에 따라 경상도권을 부산 대구 마산 등을 중심으로 나눈다 하지만 같은 경상도라고 해도 통영은 고성 거제와 더불어 통상적인 경상도 토박이말과는 또 다른 특성을 지닌다

김택구(1991)에 따르면 음운(ㅅㅆ 에 애의 대립 ㄹㄱㄹ ㄹㄱㄱ ㄹㅎ)ㄹㄱ 어중 ㅂ ㄱ ㄱ의 경음화 아 오 에이) 어휘(부추 그제 前前日) 어법(하라체 의문종결어미 노 내)을 기준으로 토박이말을 동부권과 서부권으로 나눈다

동부권에는 울산 양산 밀양 창녕(동북권)과 합천 의령 함안 창원 김해(중부권)둘로 나누었으며 서부권에는 거창 함양(서북권) 하동 사천 진양 산청(서부권) 남해 고성 통영 거제(서남권)로 나눈다 서남권에 속하는 통영은 전라권과 일부 섞인 후 이 지역의 고유한 토박이말로 정착한다

오뉴월 쏟아지는 딸구비 받아 물 잡는 품앗이
논갈이 써레질에 흙탕물 철벅이는 달구지들「중략」
물 자배기는 잘 알고말고 나란 여에서 물숭 여 걸어
그물 내던져 대리 듯 옻가락 방질 '신 걸에 사 룻'
뿐이겠나 세 모 떼로 잡는 섦은 만큼이나
시래기 뚝배기에 남은 딸꾹질로 이겼나니「중략」
사투리 한마당 먼 널 궂니 잡고 숭어 모치 떼몰이
탁탁 무릎 치는 엉덩이춤에 어깨춤사위에도
물 자배기는 잘 알고 말고 나란 여에서 물숭 여 걸어
그물 내던져 대리 듯 옻가락 방질 '신 걸에 사 룻'

　　　　　　　　봄날 무의식의 정거장에서

뿐이겠나 세 모 떼로 잡는 섦은 만큼이나「중략」
풍어기 올린 징 캥수 소리 선창 골에 되 받쳐
소풀개 먼 당을 짚어 이망 먼 당으로 올라 그만「중략」
시루바우 굼틱 굼틱 도다리는 넙치보고 눈 흘겨도 어찌 그리
딱 맞아떨어지는 눈깔! 썰물도 모래밭에 숭어

「양지리 사람들」일부

시인의 당대 현실 속에서 사용하는 언어로 자신이 느낀 감흥
을 시 속으로 들여오기 때문에 시가 곧 당면한 현실 그대로
일 수는 없지만 그 본래의 모습은 어느 정도 유지하고 있다
고 봐도 무방하다
시인 자신의 고유한 정체성을 시라는 거울을 통해 형성하거
나 내면의 자아를 단련하고 또 편협한 시야에서 벗어나 진실
한 세계를 경험하는 삶을 유지하며 살아간다 설령 그것이 지
역 토박이말이라고 해도 달라지는 것은 없다 통영 지역 토박
이말의 대표적 특성으로는 축약을 든다
이 지역 사람들은 주로 바다를 생업으로 삼은 어업종사자로
이루어지므로 간략하게 의사전달을 하기 위해서 불필요한 단
어와 어구를 줄이는 의사전달방식을 택하는 단어의 경제성을
보여준다
한려 해상의 각 섬들은 저마다 다른 토박이말을 사용한다 특
히 주로 어업과 관련된 뱃고동 소리나 높은 파도 소리에 쉽
게 소통되지 못한 지역적 특성 속에서 자연스레 생겨났으며
쉽고 빠르게 전달하는 의도에서 단축시켜 표현한다

봄날 무의식의 정거장에서

위의 시를 보면 통영 토박이말에도 통역이 필요하다는 생각이 든다 그 지역 토박이말이 지닌 본래의 뜻을 알면 그 언어들이 지니는 의미들이 한층 정겹게 와 닿는다

통영 지역 토박이말은 육지의 언어들과 달리 독특한 억양이 있다 그 한 예로 이 지역 사람들은 통영을 토영으로 발음한다 ㅇ을 탈락시키는 경우로 발음의 경제성이 드러난다

또한 그 어원을 쉽게 짐작조차 할 수 없는 토박이말에는 이야는 언니 누나를 정겹게 이르는 통영에서만 소통되는 언어이다 이는 아모음을 이모음으로 단순화하여 발음한다

그의 시는 정감 있는 토박이말을 사용하여 통영지역의 특징과 문화 지역민의 고유한 정서와 정체성을 담아낸다 통영의 독창적인 토박이말을 살려 시어로 정착시키려는 노력이 그의 시에서도 엿보인다

첫째 격음화 경음화 현상으로 변화된 강하고 억센 경우를 접한다 예를 들어 머라 쿠 것노(뭐라고 하겠어)에서는 섬사람들의 거센 기질이 보이는 쿠 와 같은 격음화 현상과 것노(겠어)에 해당되는 축약에서 지역 토박이말의 특성이 나타난다

마찬가지로 굼턱(군데군데) 캥수(두레패나 농악대 따위에서 꽹과리를 치면서 전체를 지휘하는 사람 상쇠의 지역 토박이말)에서도 격음화현상이 나타난다

캥수 소리는 상쇠를 뜻하는 이 지역토박이말로 깽수 깽맹이 등으로도 사용되며 떼 역시 도의 의미를 지닌 강한 쌍디귿 발음으로 의사전달이 어려운 지역의 자연 환경 속에서 자연스레 생겨난 의사소통방식으로 소리가 높고 거센 발음방식의 특성이 그대로 드러난다

봄날 무의식의 정거장에서

이는 의사전달을 위해 강하고 큰 소리를 하거나 먼 거리에서
도 짧은 소통을 위해 생겨난 격음화 현상으로 본다
이 지역 토박이말의 특성 중 하나로 성조가 높고 쌍시옷 쌍
기역 쌍디귿 등의 경음화 격음화 현상들이 드러나며 발음이
높고 세서 다른 지방의 사람들이 들으면 싸우는 것으로 오인
한다 이 역시 바다를 배경으로 하여 먼 곳까지 잘 들리도록
의사소통을 위한 방편으로 생겨난 언어사용의 특성으로 보인
다 이 경음화의 경우로 깝지는 (깝치는 다그치는 재촉하는)
「낙목산방」에서 깝과 같은 쌍기역은 그와 유사한 의미로 사
용된 경음화의 경우로 볼 수 있다
둘째 그의 시에서 토박이말은 축약의 방식으로 나타난다 이
는 지역적 특성상 쉽게 의사전달이 쉽게 사용했던 토박이다
예를 들어 딸구비 (굵고 거칠게 쏟아지는 비 작달비) 「양지
리 사람들」에서 딸은 표준말 따라-붓다에서 그 의미를 찾거
나 아주 세게 따라 붓듯이 퍼붓는 비라는 의미를 지닌다
나란여 (나란히 있는 여礖)에서는 나란히와 여의 합성어로
히가 탈락된 채 나란은 관형사의 형태로 명사인 여를 꾸며주
는 형태로 형성된다
물숨여 (떨어지거나 내뿜는 물의 힘을 지닌다는 의미의 礖)
에서는 물이 숨쉬는 와 여가 동등한 명사로 합성어 형태로
축약 방식이 나타난다 그 밖에도 토박이말은 거는(거기에는)
「오수」에서는 겠이 것으로 표현되는 탈락과 거기가 거로 축
약이 나타난다 셋째 전혀 그 본래의 의미를 짐작할 수 없는
토박이말을 사용한 경우가 있다 이에는 방질 (그물을 잡아당
기듯 던지는 행동) 신 (상대방)걸에 사 룻 뿐이겠나 세 모 떼

봄날 무의식의 정거장에서

(윷놀이의 도) 로 잡는 섞은 만큼이나 등에서도 방질 신은 전혀 원래의 뜻을 짐작할 수 없는 독특한 통영 지역 토박이 말의 한 형태이다

굼턱 굼턱은 굽은 터→굽 터→굼터→굼턱으로 은이 탈락되고 대표소리 현상으로 ㅂ→ㅁ으로 변형되어 갔으며 터에서는 ㄱ이 첨가된 것으로 유추해 볼 수 있으며 이는 토박이말로 바닷가의 갯바위의 구석구석의 모양새를 뜻하는 것으로 보인다

그 밖에도 그의 시집에는 원래의 뜻을 쉽게 짐작 못하는 토박이말을 사용한 경우가 나타난다 이마배 (아주 작은 배) 열래 (긴 작대기 삿대) 「찾았다 1억4천만 년 전 내 안경알」에서 더품(거품) 대질리 (그릇끼리 닿는 것) 「바닷가 가을소리」에서 감풀다 (거칠다) 「한여름 소나기」에서 닛살 (파도결)「오수」)에서 무중우(잠방이 농번기에 허드레로 입는 바지 류의 옷)「가실은」에서는 가신(닿을 듯 말 듯)했구나「리빙포인트」더우(겨우)「달을 태우는 눈발」에서는 원래 의미를 짐작할 수 없는 토박이말이 통영 지역에서 통용된다

넷째 발음의 편이성을 위해서 자음자가 변형을 일으키는 경우와 모음자가 변형을 일으킨 경우이다 예를 들어 더품(거품)(「바닷가 가을소리」)에서는 초성 ㄱ이 ㄷ으로 변형되어 발음되는 현상으로 눈구정(눈구멍)(「한여름 소나기」)에서는 멍이 녕이나 정으로 변화된 모습을 보인다

가실(가을「가실은」)은 통영 지역의 토박이말이지만 경남 타 지역을 비롯하여 강원도 지역에서도 사용되는 말이다

가실(가을)은 어휘 형태에서 ㅅ음가의 역사적 변화는 ㅅ >

봄날 무의식의 정거장에서

△ > ㅇ와 같다 중세 국어에서 △으로 실현된 것은 대개 그 이전에 ㅅ음가를 가진다

통영 뿐만 아니라 부산 지역에서도 중세 국어 이전에 존재하였던 ㅅ음가를 가진 어휘 형이 그대로 존재한다 또한 '파이 야 파이로라(썩 별로 좋지 않다)는 의미의 파자는 마칠 파罷자에서 온 것으로 파장罷場 틀렸다는 의미로 사용되며 이 역시 경상도 타 지역을 비롯하여 경북 동해안지역에서도 사용하는 지역 토박이말이다 모음이 변형을 일으킨 경우에는 엉덩이(엉덩이「우포늪」)는 덩이 이를 닮아가는 딩의 모양을 취하며 이는 오디가 이 있노(어디가 있어)「리빙포인트」에서 이의 뒷 글자 있노에서 있을 닮아가는 형태로 취한다 뿐이것나(뿐이겠냐)「한여름 소나기」에서는 ㅅㅣ의 탈락 현상이 나타난다

어느 날 정오 더우 잡는 화개 골 짬에
마악 굴러 온다 카이 수레바퀴들이
산을 밀며 되올라가던 햇덩이 하나를
귀고리 한 여자가 손짓으로 몰래 빼돌려
물레방앗간으로 웃으며 들어가는 거
아무도 안 봤다 카이 허지만 안다 카이 나는
「중략」
지금도 쌩쌩 살아서 차바퀴 없는 차가 벌써 수박밭 농막에 와서 자꾸만 방앗간 쪽을 흘금거리며 마시고 마시는 녹차…
은자 알겄다! 인자는 말 안 해도 알것다!

　　　　　봄날 무의식의 정거장에서

인간은 언어로 사유하므로 언어는 살아 있다고 한다 지역이
나 사회의 정도에 따라 변화되고 사라지며 의미가 달리 변형
되어 사용된다 이러한 지역 토박이말을 사용한 경우에 그 지
역의 지방색이 강하게 드러나므로 그 고장 사람들만의 결속
력을 다지기도 한다

타지방 사람의 경우에는 인내심을 가지고 읽어야 하므로 대
부분의 독자와의 공감대 형성에는 불리하지만 적재적소에 꼭
알맞게 쓰인 지역 토박이말이라면 또 어휘가 갖는 시적 어감
이나 분위기에 제대로 사용된 경우라면 시를 읽는 재미를 더
한다

위의 시에서는 더위를 일컫는 더우에서는 ㅣ 생략의 방식으로
축약된 토박이말의 형태가 나타나고 화개골 즈음을 뜻하는
골 짬에서는 된소리 ㅉ을 사용하여 화개골에 대한 의미를 강
화하는 효과가 있다

온다니까를 의미하는 온다 카이 안다는 의미를 강조하는 뜻
으로 안다카이로 표현된 격음화 현상을 시용하여 오거나 안
다는 의미를 강조한다 이제 혹은 지금의 의미를 뜻하거나 인
자(仁者)의 의미로 사용된다는 인자를 통해 지역만의 발성법
에 독창적 시어의 특성ㄴ이 나타난다

이렇게 그의 시에 사용된 토박이말은 통영이라는 지역적 공
간 속에서 살아 숨 쉬는 화자의 생동성 강한 정서를 고스란

봄날 무의식의 정거장에서

히 드러내기 위한 방편으로 사용된다

현장성을 지니고 향토적 서정성이 강한 지방색을 불러일으키면서 동시에 공동체적 의식을 공유한다는 충격을 가져오는 효과를 누릴 수 있다 또한 시적 화자가 지니는 개성적 성격을 새롭게 구현하는 장점도 지닌다 그의 시에서 시어들은 바닷가를 배경으로 형성된 만큼 투박하고 생략이 많은 언어의 특성을 지녔다 사라져가는 토박이말을 시어로 사용하는 부분은 매우 의미 깊은 일이고 정성과 노력이 들어가는 소중한 작업이 된다

길의 상징성

흔히 시에서 길은 다양한 상징성을 띤다 J 쿠퍼의 상징어 사전에 따르면 통상 길은 시공과 주야를 초월하는 능력 정신과 영혼에 의해 초월되고 극복되는 현세적인 것을 극복하는 과정으로 본다 또한 목적지가 없는 길은 순례자나 진정한 내면적 고향을 찾아나서는 여행으로 표현된다

가는 걸음에 몇 마디 얹어본다 피로에 사로잡히지 않도록 불빛을 찾아나서는 눈빛에 끼우도록 신신 당부한다 몇 마디는 귀에 넣지 말고 친숙한 글씨이니 눈에 새겨 발걸음과 의논하면 저절로 먼 길은 오후의 긴 여름햇살 발걸음이 짧아지나니 보이지 않는 생소한 것들이 함께 나서면서 일러주는 방향을 잊어서는 안 된다 사내웃음이라고 쩡쩡 소리치면 새들마저
　　　봄날 무의식의 정거장에서

숨어버린다 다 얼리고 얼려서 저녁불빛을 먼저 찾아야한다 마중하는 사람은 없나니 투정부리면 잠이 오지 않는다 항상 발을 믿고 발을 씻어 반듯한 걸음으로 재촉하지 말고 온 길을 묻지 말고 눈웃음치면 먼저 꽃이 나서서 웃어 가름해 준다 절대로 꺾지 말고 향기를 받아들여야 다음날 가는 길 가리키나니 걸어갈 수 있다 확연하게 올 수 있다 「걸음에 몇 마디 부치나니 」

인간은 누구나 자신도 모르는 사이에 옷차림 표정 말 등으로 자기만의 내면 심리를 밖으로 드러난다 즉 마음과 정신력처럼 종종 타인에게는 전혀 드러나지 않는 부분들이 몸짓이나 표정 혹은 다른 무엇으로도 은연중 표현된다

위의 시에서 이 점은 바로 길을 대하는 화자의 모습에서 찾을 수 있다 시에서 길은 화자에게 미지의 세계로 나아가면서 다양한 감정들 가운데 긍정성 등이 혼재되어 나타난다

발걸음과 의논하면 저절로 먼 길은 오후의 긴 여름햇살 발걸음이 짧아지나니 보이지 않는 생소한 것이 함께 나서면서 일러주는 방향을 잊어서는 안된다는 표현에서 보면 발걸음과 의논하면 먼 길도 짧아지기도 하고 잘 보이지 않던 것들이 앞서 나아갈 길을 일려 주는 안내 표지판이 되므로 걸음을 걸을 때에는 매사에 살펴 걸어야 한다는 의미들을 담고 있다 그리고 스스로가 선택하여 믿고 가는 길에 대해 확신하는 화자의 내면이 진솔하게 드러난다

화자는 길을 걸으면서 상념에 잠긴다 사소한 여러 생각들을

봄날 무의식의 정거장에서

스스로 정리하면서 걷는다 그런데 그 길은 일상 속에서 걷는 길이 되지만 마중하는 사람은 없다고 투정부리면 잠이 오지 않는다는 것처럼 인생의 소소한 여정 속에서 일어날 법한 일이라는 의미를 담은 길의 상징성 속에 옮겨 놓기도 한다

이와 유사한 길의 심상은 「그래도 걸어야 보이네」에서도 읽을 수 있다 이에서 길은 새소리들이 해방될수록 나는 나의 걸음에서 자유로워지네 화자가 어디를 향해 길을 걸어가든지 편안한 발걸음으로 걷는 화자와 만난다

그렇지만 그 길은 맨발이 웃어 대는 길 따끔 따끔거리도록 하는 나를 잘 보이게 앞서서 날고 있으며 화자가 가식 없이 걷는 길이요 그러한 길을 걷다 보니 주변의 환경들은 비록 자신의 몸을 괴롭히더라도 그것은 궁극적으로는 화자에게 많은 도움을 주는 길을 낸다 그의 시에서 길은 일상에서의 걸음을 의미하거나 혹은 인생길을 의미한다

어느 날 바다 해물전시장 입구에서
방명록에 서명하는 손 떨림 앞에
떨어지는 나비넥타이를 얼른 주어
뻣뻣한 목에 다시 거는 그 사람의 콧물
슬쩍 훔치는 내 눈물 보다 서투른 글씨네
쳐다본 이들은 왜 나를 보고 웃었을까
아무리 손발톱을 깎고 향수를 뿌려도
계단마다 밟히는 겨울 비린내 때문일까

　　　　봄날 무의식의 정거장에서

-「해명」

우리는 인생이라는 길 위에 스스로의 발걸음을 묶고 가까이
에서 서로를 바라보면서 살아 있다고 확인한다 또 길 위에서
마주치고 만나는 사람들을 통하여 사회의 부조리에 분개하고
아름다움에 감동하는 등 자신의 내면적 질서와 현실의 삶을
반추하며 재조정한다 그런가 하면 한 존재의 삶을 이해하거
나 손수 체험하는 장소로서 길을 만들어 가면서 다양한 삶의
꿈을 만들고 실현한다 위의 시에서는 인생의 무상함을 길로
표상한다 길을 걷다가 방명록에 서명하는 나비넥타이를 한
사람을 보면서 자신의 모습을 반추한다
인간의 삶을 4계절에 비유하여 4단계 가운데서 마지막 시간
에 머물러 있는 자신의 삶이 뿜어내는 겨울 비린내에 대하여
표현한다 자신이 맞이한 뒤늦은 삶의 시간들을 의미심장하게
생각한다

빛나는 유언장을 쓰는 것은
나무이파리들 몫이 아니네 햇살들이네
종이에 쓰듯 연필소리 내는
나의 발자국에서부터 그 속의 탄소알들이
지나간 길을 만나고 있네
때론 마추픽추의 숨결에 살아있다는
카 라마의 눈에서 4만㎞는 나타나도 신의 발자국은 없네
　　　　봄날 무의식의 정거장에서

다만 새들은 그곳을 잘 알기 때문에 구태여
우리는 마감되는 입살(口煞)로 임종의 불안을 알아볼
필요 없네 잘려나간 매듭은 이어지게 마련이네
내 목도리도 버려진 근심에서 다시 돌아오는
바로 지금 햇살이 쓰는 편지 자네 읽어 보게

「문득 햇살이 쓰는 편지 보다 」

셀리그만(2002)에 따르면 행복한 삶이란 긍정적 정서를 많
이 경험하는 즐거운 삶pleasant life 즉 과거를 수용하고 지
금 이 순간에 몰입하여 즐거움을 경험하는 것이다 개인의 장
점을 바탕으로 자신의 일에 몰입하는 적극적인 삶이 있는데
이는 자신이 선택한 활동에 열정적으로 참여하고 몰입하여
자신의 강점을 발휘하여 자기실현을 이루어가는 진정한 자기
가 되는 느낌을 아는 것이다
끝으로 자신에서 확장하여 가족 직장 사회를 위해 봉사하고
공헌하는 의미 있는 삶을 드는데 이는 자신보다 더 큰 범주
의 삶과 행위에서 의미를 발견하고 이에 봉사하고 공헌하는
과정에서 자신의 존재가치를 느끼는 것이라고 한다
위의 시에서 화자는 종이에 글을 쓰면 연필 자국 속에서 탄
소알들이 지나간 길을 만난다고 한다 화자는 자신이 한 평생
살아온 시작詩作의 길을 그렇게 만난다 삶의 길목에서 긍정
도 부정도 아닌 현재의 순간 속에서 햇살이 쓰는 편지를 읽
어보라 한다

봄날 무의식의 정거장에서

가슴을 따뜻하게 만드는 것은 햇살 한줄기면 충분하고 따뜻한 햇살 한줌이 있어 얼마나 행복한지를 화자는 이미 다 알고 있다 구체적이고 체험적 삶에 기초한 섬세한 감각과 스스로의 내면을 다독이는 자의식이 돋보이는 부분이다

햇살은 화자의 시야에서 그냥 보내 버리지 않고 민감하게 받아들여 자신의 내면을 구축하는 내면과 외면의 상호 작용을 돕는 매개가 된다 탄소알들이 지나간 길은 바로 화자 자신이 살아온 길과 유사한 의미맥락을 지니는 긍정적인 성향을 지니는 고마운 존재로 표상된다

자연을 소재로 내면적 서정성 불교적 가치관

그의 시에는 미륵이 자주 등장한다 흔히 불교에서 말하는 미륵은 미래불로 석가모니가 열반에 든 후 56억 7천만년이 되면 도솔천에서 하생하는 보살이 미륵이다 이 미륵이 나타나면 세상에 가르침을 펼쳐 깨달음으로 경지에 든다(석가모니와 미륵의 경쟁담 2013)

미륵경은 팔만대장경과 선불가진 수어록 격암유록에 실린 내용 중 미륵불과 관련된 부분만을 발췌하여 만든 경전이다

늘 내 어깨에 닿아 있는 바다에서 피어오르는
하얀 구름 불태우며 어딘가 있는 용화세계를
찾고 있어 벽발산 가섭존자가 미륵경 읽으며
오늘은 바다에 빠진 새소리 건져 올려 나무에

　　　　　봄날 무의식의 정거장에서

매달고 있어 비참한 바다 혼백 부활을 위해 먼저
본래적 심과 함께 땅속 깊이 내려 설 수 있는
그 초능력을 터득하는 귓바퀴와 동거해온
풀꽃들의 이야기부터 신비스럽게 귀담아주며

조그마한 것도 만다라세계가 있다는
나의 심오한 기대감을 감발한 채 내딛고 있는
지금까지 간직한 마그마 위로 뛰고 있는
원력으로 발원하는 탁발소리 용화기둥에 닿고 있어
「중략」
여섯 개의 용화기둥이 치솟아 미궁들이 수수께끼를
풀고 있어 나를 먼저 쳐다보고 윙크하지만…
더디더라도 친숙한 길일수록 항상 더 내려서서
고개 숙이기만 하라고 윽박질러 에코 힐링 하는
로고스와 뒤섞은 파토스여 낯선 산봉우리 찾아
걸을수록 긴 그림자만 꿈틀거리는 애벌레여

-트레킹 미륵산」일부

용화세계는 중생이 사는 사바세계를 벗어난 안락하고 행복한
삶이 보장되는 세계이다 벽발산은 고성군 거류면과 통영 광
도면을 경계로 삼은 산으로 마치 가섭존자가 벽발(바리때 공
양그릇)을 받쳐 든 모습과 같다하여 생긴 이름이다
가섭존자는 부처님 12제자 중 최고의 두타수행자로 존숭된

봄날 무의식의 정거장에서

125

다 만다라 세계(제불 보살 신)를 총합한 만신전으로 우주적인 심리도이다 상호공양과 상호예배의 세계가 부처의 법계 우주의 본질을 의미한다

즉 선 부처 우주의 일체성역 공간을 신성시 여긴다 시의 화자는 용화세계를 찾고 있어 벽발산 가섭존자가 미륵경 읽으며 조그마한 것도 만다라세계가 있다는 지금까지 간직한 마그마 위로용화기둥에 닿고 있어 더디더라도 친숙한 길일수록 엎드린 하심으로 발원하나니에서 그가 찾는 세계는 분명 중생의 세계를 벗어난 미륵이 사는 세계인 도화천으로 그 곳에 있는 용화수 아래에 미륵불이 하생한다고 해서 미륵부처를 모신 곳은 용화전이다

화자 역시 그 세계를 찾기 위해 가섭존자처럼 미륵경을 읽고 또 작은 풀꽃 속에서도 만다라의 세계를 찾는다 더뎌도 고개 숙이려 하나 마음과는 달리 그렇지 못한 자신에 대해 마음을 내려놓는 연습을 하고 그렇게 되기를 바라는 마음을 담았다

잎사귀를 밟으며 산기슭을 오르는 화자는 길을 걸으면서 여러 감정을 느낀다 발 아래 집중하거나 혹은 길가의 불개미 정도에 정신을 빼앗기지 않겠다는 일념으로 그래서 화자가 염원하는 곳에 오르고자 희망하므로 힘차게 정진한다

신갈나무 이파리를 깔며 내 짚신 벗겨질수록 나를 달아오르게 불개미 몸짓은 가당찮다 뿐이겠어! 더 찰싹 붙이는 반복이 구불구불 길 보여주는 중심을 표현한 점에서 화자는 나무 잎사귀를 밟으며 산길을 오르면서 길이 가져다 주는 다양하고 복합적 감정을 느낀다

자신의 발아래에 마음을 집중하거나 혹은 길가의 불개미에는

봄날 무의식의 정거장에서

정신을 빼앗기지 않겠다는 쉽지 않은 일념으로 산길을 오른다 그래서 이 길은 화자에게는 스스로의 마음을 정복하는 길이고 오르기 위한 희망이 있는 힘찬 걸음이 된다 화자에게 미륵세계는 긍정성을 부여하는 고마운 존재로서 상징된다

식은 커피를 마시다 보는 찻잔 속에
고여 있는 어느 날 콱 막힌 산 기포가
일렁이나니 연이파리들로 흔들리는
미륵산 아래 용화사 해월루海月樓 연못
물방울들과 줄넘기 하다
경알을 닦는 청개구리 한 놈
문고리 잠그듯이 지 눈 속으로 숨는
집달팽이 물바람 깃을 발끝으로
끌고 뛰고 있어 나 온몸마저 벗겨놓고
초저녁달 걸음걸이로 되러 부끄러워
어주둣 진흙탕을 씻어대고 있어
가피의 미소 다 주고도 남은 꽃밭 등
개펄 안 눈곱빼기만 한 것도 녹색 줄무늬
에 올려놓고 있어 우리네 실핏줄마저
인드라 그물망에서 보도록 하고 있어

- 「연꽃무늬」

봄날 무의식의 정거장에서

미륵산 용화사는 신라 선덕여왕때 은점恩霑 스님이 창건한 남해 지역 최고의 미륵도량이다 그 중에서도 보광전은 경남 유형문화재 제249호로 용화권 해월루 해마루 등이 있다 용화사를 중심으로 한려해상공원에는 한산 습득(거제) 보리암 앞에 세존도 미륵도 연화도 같은 불교 용어를 사용한 섬들이 더 있다 「연꽃무늬」에서 화자는 가피의 미소 다 주고도 남은 꽃밭이라 하여 가피를 마다한 연꽃을 든다 가피란 부처나 불보살들이 자비를 베풀어 모든 중생을 이롭게 하는 힘을 뜻한다 기도나 원력을 이루도록 하는 부처님의 위신력으로 불가사의한 힘을 부여하여 이익을 주는 한편 중생의 신심이 부처에 감응되어 어울리는 것을 뜻한다

그런 만큼 연꽃밭을 바라보는 화자의 시각은 섬세하고 남다르다 또 우리네 실핏줄마저 인드라 그물망에서 보도록 하고 있다고하여 인도의 신 인드라(Indra)를 통해 우주만물은 한 몸 한 생명이라는 가치관을 가진다는 점을 알 수 있다

이는 불교의 연기법을 상징적으로 표현하는 말로 불교에서 세상을 바라보는 관점이 잘 드러7나는 부분이다 마찬가지로 화자가 개펄의 작은 푸른 줄무늬조차도 놓치지 않고 바라보는 자연관과 이에 더해 불교적 가치관에 기인된다

자연일체

노자에 따르면 도라는 우주의 본체는 가장 크고도 유일한 무극으로서 모든 삼라만상은 이 무극의 세계에서 생겨난다고 하고 자연으로 돌아가는 삶 무위로 사는 것만이 인간을 구제

봄날 무의식의 정거장에서

한다고 보았다 그는 자연적인 도를 절대적으로 강조했다 감각적 인식과 편견에 사로잡힌 인간이 우주 만물을 상대적으로 인식하고 인위적으로 가치를 판단하여 도와 자연으로부터 멀어졌으며 타고난 자연의 덕을 망각하였다

그 결과 사회적 도덕적으로 쟁탈과 욕심이 생겨났다 따라서 그가 생각하는 이상적인 인간이 살아가야 할 삶이란 인위적 문화를 거부하고 자연 그대로 자연의 섭리에 순응하며 살아가는데 있다

지리산 중산리쯤 오르면서
귀에 익은 톱질소리·· 아니
소낙비소리 밟고 몇 걸음 늦추면서
두 귀 막아 봐도 가름 안 되네
눈으로는 가름이 어림없네 분간도
아시기 굽 돌아 산 너울에 얼버무려
발 담그게 하네

-「지리산 물소리」 일부

무위자연이란 꾸밈이 없이 자연에서 모든 백성으로 하여금 천지만물의 생성자인 도의 뜻을 체득하여 자연의 순리대로 따르며 살아가는 한다 노자가 주장하는 자연무위에서 말하는 가장 인간다운 삶이란 인간이 자연 그대로의 모습으로 자연

봄날 무의식의 정거장에서

의 섭리에 순응하면서 살아가는 소박한 삶을 말한다

시의 화자는 소낙비소리 밟고 몇 걸음 늦추면서 두 귀 막아 봐도 가름 안된다고 하여 물소리의 소란함에 이런저런 생각을 하고 있다

화자는 자연 본래의 모습대로 사는 것이 무위자연의 도와 겸손의 덕을 갖추는 것으로 여기게 되고 지리산의 물처럼 만물을 이롭고 낮은 곳에 처하는 자세에 이를 수 있어야 비로소 덕에 이른다는 점을 알게 된다

발 담그게 하네 탁족 할수록 그 시린 물소리 더욱 깊어 서글서글한 그대에서와 같이 화자는 결국은 지리산의 물소리와 또 계곡을 흘러내리는 물과 일체 되는 과정에서 안도감을 찾고 스스로 자연에 다가서면서 자연과 일체된다

이렇듯 자연과 다투지 않고 귀하게 여기며 자연은 늘 화자의 가까이 있어 준다는 것을 깨닫고 난 후에 마음의 혼란이 없어진다 두 귀 막아 봐도 가름 안 되네 청량한 그대로의 소리네 생생한 그 목소리도 뜨뜻해서 정 드네라고 말한다

화자가 듣는 지리산 물의 목소리 즉 자연의 소리는 처음에는 두 귀를 막아도 들리는 부정적 감정상태가 되지만 그 소리는 점점 화자의 귀에 생생하게 들려오고 정이 들 정도로 화자와 가까워진다

음성 따라 어디서 스친 옷깃소리에 점잖게 쓰다듬는 하얀 수염이 닿는다는 부분에서는 계곡물이 흐르는 모양을 의인화하였으며 마치 점잖은 할아버지 대하듯 스스로는 유약하고 겸손하면서도 자기 존재를 다스리는 이상적인 삶을 살아가려는 모습에서 자연일체의 경지에 이르는 화자와 만난다

봄날 무의식의 정거장에서

설산에서도 끈질긴 힘줄들
히말라야산맥에서 백두대간으로 날아와
일천구백육십 미터에 칠십칠 센티미터로
치솟은 정수리 천왕봉에 내려앉는 봉황새
·일월란日月卵 품는 청삼靑衫 끝자락
책갈피 넘겨가듯 연방 물바람소리 일으켜
부연 끝으로 몰려오는 은어 떼들
등지느러미물살 난다 시원하게 새떼로
날수록 나는 산사들의 계송소리
들숨*으로 그대로 내맡기면 통쾌한
통천문 개천문 볼수록 물구나무로 서는
장엄한 하늘기둥〔天柱〕 꼭대기로
산천을 끌어 올리는 내 날갯짓…

                                    -「지리산」

노자에 따르면 도는 늘 함이 없으면서도 하지 아니함이 없다
道常無爲, 而無不爲하여 가식이나 위선에서 벗어나 억지로 무
엇을 하지 않으며 본래의 자신의 모습으로 소박하게 살아가
기를 바란다
위의 시 가운데 일월란日月卵 품는 청삼靑衫 끝자락 하늘기
둥天柱 꼭대기라고 말하는 점에서는 마치 지리산이 청삼자락

              봄날 무의식의 정거장에서

을 걸친 큰 어른으로 여기며 그 옷자락을 때로는 책갈피처럼 넘긴다고 표현한다 지리산의 장엄한 풍광은 하늘의 기둥을 연상케 하여 그 하늘 꼭대기로 산천을 끌어올리는 대범함 마저 보인다 자연의 어떤 미물이라도 하찮게 여기지 않고 인간과 마찬가지로 동등한 생명을 지니는 고귀한 존재로 여기며 현실의 모든 존재들을 평등하게 생각한다

이러한 사상은 노자사상에 기인된 것으로 자신을 현실과 초월공간을 자유롭게 넘나들며 조화로운 삶을 추구하려는 모습이다 또 산천을 끌어 올리는 내 날갯짓에서 현재의 삶 속에서 자신의 삶의 자리를 소멸시키고 집착에서 벗어나는 초월적 삶을 택하여 자연과의 합일 조화로움을 꾀하려는 몸짓으로 나타난다 그의 시에서 자연은 높고 낮음이 없고 서로 대립하여 싸우는 것이 없이 모든 것을 초월해서 경지에 도달하기 위한 노력에서 나올 수 있다

스스로 자란 파란 풀밭에서
펄럭이는 자유를 보네
빽빽이 들어서 있는 측백나무
편백나무 참나무 숲에서도 자주
만나는 편안함을 안겨주네
뭉게구름이 탁 트인
수평선 위로 한 마리 참수리로
날아오르네 귀 아래는 물소리가
반짝이네 새소리 겹쳐지면서

　　　　　봄날 무의식의 정거장에서

나를 부르고 또 손짓하네

-「힐링 자유」일부

노자는 작위 없는 그대로의 자연이란 스스로 자유자재하고 무엇에도 의존하지 않는 정신의 독립으로 사물과 실상의 합일로 얻어지는 정신적 원만성을 일컫는다 또 무엇을 하지 않는 그 삶이 바로 무위자연의 삶이자 자신을 정화하고 자연스러움을 회복하는 방식으로 본다 위의 시에서 화자는 파랑들이 씻어 대는 몽돌해안을 휘돌아 나무 둥치를 껴안는 풍만함을 온 몸으로 받아들이고 마음 비움으로 나를 만져보는 과정에서 자연을 온몸으로 받아들이고 그 과정에서 자연과 일체되는 절대적 도리에 따르려고 노력하는 점을 알 수 있다

또한 속세의 삶에 대한 갈망을 파랑에 씻어내고 세상의 모든 욕망 또한 몽돌해안을 휘돌며 스스로의 마음을 비우는 화자는 세상의 어느 것에도 구애되지 않고 자신마저 비우고 스스로 자유로운 삶을 추구하려는 현실에 대한 관조나 초월을 만끽하는 모습이 나타난다

욕심을 버리고 지혜도 버리는 경지에 이르러 진정한 자유로운 정신과 행복을 추구할 수 있으므로 자연과 일체되고 그러한 삶 속에 무위자연을 꿈꾸는 자세는 행복한 삶의 척도를 가늠한다고 볼 수 있다

결론적으로 그의 시에서는 통영이라는 지역성은 시인의 내면에서 깊이 우러난 본래적 서정성과 결합되어 있다 다양한 삶의 외적인 요인을 함축적으로 표현하는 과정에서 부단히 시

봄날 무의식의 정거장에서

를 다듬은 그의 노력은 그만의 고유한 정서를 불러일으킨다 어떤 현상도 외면하지 않고 시인의 눈에 선별적으로 사물을 선택하여 자신만의 감각적이며 개성 있는 섬세함으로 시화한 결과물이 바로 그의 시이다

햇살 한줄기마저도 순간적으로 포착하는가 하면 보편타당한 공감대를 이끌어내고 감각적 보편화를 이끌어낸다 결국 그의 시는 고유한 서정성이 지적 추상성에 포착되어 더욱 풍부하고 분명하게 다루고 있다

뿐만 아니라 통영은 시 속에서 표출된 삶에도 지대한 영향을 미치고 있다는 점이 시의 현실 속에서 다양하게 묘사되고 있다 이는 시인의 부단한 노력이 전제되어야 가능하며 이러한 노력들은 차후 시인 자신 뿐만 아니라 그가 속한 세계도 변화시킬 만큼 끊임없이 강화되리라 생각된다

그의 시에서 표출된 지역적 서정성은 그가 속한 시대 현실을 철저히 반영하며 개성적 성향 또한 일상적 삶 속에서 실천한다 이 서정성은 뿌리 깊은 시적 잠재력에 접목되어 내면 깊이 숨은 자의식을 뿜고 일상과 관련된 정신적 충족감으로 만족시킨다 나아가 그가 속한 사회 집단과의 인간적인 가치를 추구하는 공통된 통일성을 드러내는 지평의 확장을 시도한다 대표적 정서는 어떤 시류에도 편승되지 않은 채 자신만의 삶의 기준과 자신이 처한 현실의 잣대로 스스로를 자리 매김한 총체적 서정성으로 발현되며 이는 통영의 시인인 그의 내면에서 솟구친 독특한 시적 아우라를 형성한다

봄날 무의식의 정거장에서

위강전 시집

그 곰단 마돈나

의혹시집 143

봄날 무의식의 정거장에서

위상진론 환상적 리얼리즘의 미적 층위

위상진 시집『그믐달 마돈나』를 중심으로

봄날 무의식의 정거장에서

초현실주의자는 꿈을 통해 인간과 우주를 인식한다 인간
의 내면을 중시하는 한편 이성 합리성을 부정하고 무의
식 환상 꿈 등과 같은 자유로운 정신세계를 추구하면서
현실도 비현실도 아닌 절대 현실이라는 초월의 세계를
구축해 왔다

프로이트는 꿈의 동기를 소망으로 꿈의 내용을 소망의
충족으로 단정한다 누구나 꿈을 꾸지만 꿈은 이성의 절
제에서 풀린 억압된 욕망이 분출되는 혹은 원시 인류의
표상이 발현되는 공간이다

꿈에서 대상을 통합하거나 심상을 합체하면서 기존의 가
치나 형태를 왜곡하고 변형하는 과정을 거친다 우리는
그곳에서 때로 더욱 낯선 자신과 만난다

초현실주의 시에서 꿈은 무의식에 잠겨 있기를 바라거나
혹은 이와 유사한 정신 상태의 이미지를 포착해 언어로
표출하는 매개가 된다

그대, 사막에서 사라진 생떽쥐베리를 만났나요
죽을 때까지 내려앉지 못하는
칼새처럼 어린이날 에어쇼를 하다
검은 프레임 밖으로 빨려들어 간 블랙이글
아빠의 사진 앞에서 경례를 하는
일기장엔 검은 독수리가 그려지겠지요
빈자리, 밥상에 올려놓은
정갈한 흰 밥 한 그릇

봄날 무의식의 정거장에서

살아남은 자가 드리는 선물이며 제물인
말없는 밥
나는 어머니께 아픈 밥이고
네게 먹히는 밥이고

- 「밥」

환상이란 실현되지 못한 자아나 욕망이 전복과 실현을
반복하면서 변형적 상태로 구현된다 무의식의 환상은 내
재된 현실이 무의식의 시각화 과정을 거쳐 현실의 사물
로 비교적 구체화 하여 나타난다

이는 그의 시「밥」에서 볼 수 있다 사라진 생떽쥐베리 죽
을 때까지 내려앉지 못하는 칼새 아빠의 사진과 같은 꿈
과 환상 논리와 비논리인 표현의 이중적 특성이 함께 나
타난다

때로는 음식과 같은 매개물을 통해 독창적 환상성을 표
출하기도 한다 그의 시에서 음식은 내면의 무의식을 현
실로 표출하는 매개가 된다

내재된 현실은 무의식과 같은 초현실성을 지니므로 현실
로 표출된 사물일지라도 마땅히 환상성을 지니며 현실과
의 괴리를 만들어 내는가 하면 비이성적 영역으로 또는
비선형적 재현방식으로 이루어진다

봄날 무의식의 정거장에서

무의식적 개념과 우연성을 중요시 여기는 즉흥적 우연의 한 방법을 택하는 과정에서 반전 예측불후와 같은 초현실성을 드러낸다

이는 시에서 생떽쥐베리 칼새 아빠의 영정 사진 밥에서와 같이 서로 다른 형태와 의미를 지닌 채 전혀 어울리지 않는 물체끼리 한 자리에서 모여 새로운 의미를 만드는 콜라주 방식을 취하는데 이로써 시각적 이미지 뿐 아니라 슬픔이라는 공통된 감정을 전달한다

대상을 향한 사실적 이미지 밥은 무의식 세계에서 현실 세계로 진입하는 매개가 된다 전혀 이질적 사물의 나열에서 불현듯 출현하는 밥은 내면적 차원에서 현실적 차원으로 불쑥 튀어 나와 화자 앞에 현존하는 밥이 된다 또한 친근한 사물 속에서 유발되는 부정적 이미지가 섬세한 표현과 더불어 오히려 두려움과 공포 무서움을 포착해내고 이로써 사물의 낯설음을 들여온다

흔히 먹는 흰쌀밥 사진은 어두움이라는 무거운 감정을 사물로 표현한다 무감각한 느낌에서 한층 더 어두운 현실 속으로 끌려가는 과정에서 기존의 사물에 대한 가치관에서 벗어나 충격을 준다

화자 스스로의 내면을 향하여 일상적으로 존재하는 사물의 이미지를 엄습된 우울하고 섬세한 어둠의 분위기로 변화하면서 본질적이며 현실적 삶의 결핍을 재차 확인하는 심리적 다중현상이 나타난다

결국 시에서 화자의 인식속에 드러나는 밥은 꿈과 기억 회상 등과 유년의 환상 등이 무의식 속에서 새로운 상황

봄날 무의식의 정거장에서

을 만나 우연히 표출되었지만 이 흰색과 검은 색처럼 무
채색으로 일관되는 환상을 재현한 꿈의 사물인 밥은 비
논리적이고 현실도 비현실도 아닌 초현실과 조화를 이루
는 현존적 사물로 환상성을 발현하는 매개가 된다

그에게 식사는 임종 의식과 같았다
중세시대 영주들은 독살을 피하기 위해
시식 시종을 두었다고 한다
시식 시종은 독이 든 음식을 먹고 살았다
연한 양고기 살을 맛볼 때마다
두려움은 그의 혀를 마비시켰다
그는 독을 이겨내기 위해
날마다 조금씩 비소를 먹었다
식탁위의 죽음이 불꽃처럼 피어오를 때
그는 일렁이는 자신의 그림자를 보지 않았다
비소에 익숙해진 그는
강하게 살아남았다

－「달콤한 식탁」

냉장고에서 감자가 싹을 틔우는 동안 네 몸에서 물기가
빠져 나갔지 감자는 어둠 속에서 독이든 보랏빛 눈을 밀
어 올리며 제 몸을 독으로 바꾸어 갔을까?

봄날 무의식의 정거장에서

소화되지 않은 말들은 위경련을 일으켰지 커튼을 젖히며 신들의 이름을 불렀지 뼈 없는 고등어가 택배로 왔다 몸통만 가지런한 진공포장은 손에 쩍쩍 달라붙었지 군청색 줄무늬 머리들은 모두 어디로 갔을까? 흐르는 물에 세심한 붉은 살이 녹고 식탁에서 주검이 달콤하다

미의 근원은 미추의 두 개념으로 정의 내리는데서 시작된다 미는 질서 조화 문명과 보편 불변의 안정적 원을 이루는 한편 추는 개별적이고 비정형성과 같은 이질적이고 대립적 속성이 뒤섞인 것에 비유된다

시「달콤한 식탁」에서는 살기 위해 먹는 식사와 임종의식을 치르는 식사를 동일시 여기는 양가적 감정이 나타난다 연한 양고기 살과 두려움 독이 든 음식을 먹고 사는 시종 독소를 뿜어내는 감자 진공 포장된 오염된 곳에서 온 고등어 등은 겉으로 보기에는 달콤하고 맛있는 음식이다

실상은 진실이 왜곡되고 변형된 음식이라는 현대 사회의 먹을거리에 대한 불안함을 표출한다

이 과정에서 제 몸을 독으로 바꾸어 간 감자처럼 현실을 교란하고 뼈 없는 고등어처럼 현실을 분절하고 독이 든 음식을 먹는 시식 시종처럼 현실을 위장하는 가운데 기존의 삶의 행위를 대표적으로 상징하는 식사인 음식 양고기 등은 어둠의 그림자와 더불어 죽음에 더 가깝다

시에서는 이들을 낯설게 만드는 동시에 삶과 죽음이라는 경계를 허물고 현실과 비현실을 오가는 억압된 것에서 귀환한다 한편 시의 음식 양고기 감자 고등어 등은 전혀

봄날 무의식의 정거장에서

이질적 형태의 식재료로서 이들은 재료 상태에서는 서로 단절된 이미지이지만 주검이라는 공통된 주제 아래서 서로 한 공간에서 병치되어 있다

이들 음식의 병치와 열거는 어둠을 향한 환상적 이미지를 부르는 한편, 죽음이라는 착시를 유도하여 현실과 환상을 잇는 매개로 표현된다

이로써 현존하는 음식이지만 현실과는 먼 거리에 두며 현실에 속하지만 환상 세계에도 무한히 속하는 그러면서 현실에서 왜곡되고 변형된 모습으로 존재하면서 현실 속에서는 우연성과 비현실이라는 반전 이미지를 불러일으킨 비논리적 상황 속에서 절대 현실을 그려낸다

모래시계가 녹아내리는 나른한 시간
뜨거운 모래 밖으로 한 여자가
손을 내민다
어쩌면 마술 같은 생이 시작될지 몰라
누구의 비밀이 되기 싫은
텅 빈 부메랑을 날리지
또 다른 시간으로 돌아올 수 있을까?
밤마다
가방 가득 모래바람을 넣어둔다
나는 아침의 관찰자, 커피를 마시고
모래를 쓸어낸다

봄날 무의식의 정거장에서

환상이란 대체로 의식과 무의식이 뒤엉긴 채 현실적 욕
구가 분출되어 현실을 넘어 초현실적 공간 속에서 주로
이루어진다 환상을 분출하는 요인 가운데 꿈은 수수께끼
와 같아서 현실을 변형하는 이미지와 연관된다
시 「모래 가방」에서는 현실 속에서 만나는 모래시계 가
방 커피 등과 같은 서로 다른 오브제들을 비현실적 공간
속에 두는 과정에서 일상적 경험들은 반전을 일으키고
결과적으로 나타난 낯설음은 환상을 불러들인다
이는 현실 속에 존재하는 사물을 낯선 장소에 두면 본래
의 의미와 용도 기능 등은 사라지고 환상을 부르는 초현
실성을 불러일으키는 원리에 기인된다(Pierre reverdy)
거리가 먼 두 사물을 현실 속에서 근접시켜 한 공간에
두면 그들이 갖는 두 현실의 거리가 멀수록 이미지는 강
렬하며 감동적 현실을 맞는다
라캉에 따르면 현실이란 꿈을 견뎌낼 수 없는 사람들을
위해 존재한다 즉 꿈이 현실에서 그대로 이루어지면 그
현실은 악몽이 되므로 그 악몽에서 벗어나기 위해 다시
현실로 달아나고 그 현실의 억압에서 스스로를 안전하게
보호하기 위해 곧 다시 꿈으로 향한다
모래를 가방 가득 넣는 모순되고 혼란스럽고 기이한 현
상을 드러내지만 그것은 현실이 아닌 꿈으로 원하지 않
는 현실에서 이탈한 비현실 속에서 낯선 조합을 이루는

봄날 무의식의 정거장에서

데 이는 시각적으로 신비감과 환상을 부르는 비일상적
자유로움이라는 새로운 자극과 경험을 유도한다

물소리가 잠든 밤, 욕조에 이불을 넣고 밟는다
손잡이가 빠진 자리
영사기처럼 둥글게 흘러들어오는 불빛
문 앞에 선인장은
말없이 서 있다
립스틱과 옷가지를 내다버리고
나는 어슴한 불빛 아래 마른
밥을 먹는다
나에게 뿌리란 흔들리는 바람이지
나도 모르게 내 뒤를 따라가 보고 싶은 바람의 숨소리
만 들리는
고비쯤일까?
비릿냄새가 물길을 지우고
초경을 시작하며 은퇴한 쿠마리처럼
갠지스 강에 몸을 담글까
피다만 가시가 불빛을 열고 들어올 때
강물을 말려 분을 낸 꽃이
꽃대를 밀어 올린다
문 뒤에 열리지 않는 문하나 , 벽처럼 서 있다

-「문」

봄날 무의식의 정거장에서

모호한 이미지는 때로는 신선한 환상성을 드러내는 매개가 된다 이는 주로 사실적이면서도 서로 이질적 공간으로 전혀 예기치 못한 장소에서 이루어진다

시 「문」에서 화자는 모두가 잠든 밤 홀로 잠들지 못하고 욕조에서 이불 빨래하는 과정에서 꿈이거나 혹은 환상 속으로 진입한다 장소와 시간을 넘나드는 과정에서 밥을 먹는 행위와 고비 사막 쿠마리 등을 들여와 생경하고 기이한 효과를 자아낸다

물소리가 잠 든 밤 손잡이가 빠진 자리는 어느새 바람의 숨소리만 들리는 고비 와 쿠마리가 있는 갠지스강가에 이른다 그리고 그곳은 벽처럼 서 있는 닫힌 문일 뿐이라고 해서 공간 이동이 급하게 이루어지는 다층 공간 속에 놓인다

그 공간의 끝은 닫힌 문으로 어떤 움직임도 향해 나아가지 못하고 희망도 꿈꾸지 못하는 부정적 공간이다 화자는 마른 밥을 먹는다

뿌리가 곧 바람으로 정착하지 못하는 화자에게는 어슴한 불빛과 잘 어울리는 마른 밥은 립스틱과 옷을 내던지고 난 후에 홀로 먹는 고독한 밥만이 존재한다

대개의 밥은 따뜻하고 배부름을 부르는 음식의 표상이다 하지만 이 시에서 밥은 이전에 알고 있던 밥이 주는 친숙한 배부름을 나타내지 않는다

봄날 무의식의 정거장에서

이 시에서 밥은 식사에서 오는 획일적 사고에 대한 경고의 의미로 받아들이게 된다 밥이라고 다 같은 따뜻한 밥은 아니라는 의미이다

시에서는 가장 익숙한 밥이 주는 안도감 배부름 만족감이라는 사고의 편견에서 벗어나며 불안하지만 현실도 비현실도 아닌 초현실적 공간을 마련하는 독특한 상황을 만들어낸 매개가 된다

저녁은 고해신부의 귀처럼
비밀을 향해 자라기 시작했다 나는 작은 보폭으로 한걸음 나와
거울에 비친 나를 보고 울다 들어갔다
나는 오늘 누구의 이름도 부르지 않았다
비극과 희극이 뒤섞인 연극을 보고
나는 맛없는 국수를 먹는다
국수집 창으로 시침처럼 달라붙은 빗물
나는 유리창에 이름을 지운다 〈중략〉
나의 가방은 심장 뛰는 소리가 들리지
내 몸의 태엽을 풀어놓고
권태로운 생일을 관리한다
지하철 입구 젖은 양동이에 담겨
나이 수대로 계산되는 꽃송이처럼
나는 국수를 새며 먹는다
혼자 듣는 뻐꾸기 소리는

봄날 무의식의 정거장에서

저녁과 함께 사라지고
등을 보이지 않는 소리의 끝을 따라
나는 거울 속을 통과하고 있다

-「가방 속의 탁상시계」

초현실의 세계는 숨겨진 욕망만이 아니라 무의식과 현실을 연결하는 의미로도 통상 이해된다 따라서 압축 치환 상징화 등이 꿈의 메커니즘과 동일하게 드러나기도 한다 다만 꿈은 무의식이 작품은 의식이 지배하는 정도의 차이가 있을 뿐이다 하지만 초현실주의 시에서 무의식을 표출하는 수단으로 언어가 사용된다 라캉 역시 언어에서 무의식 작용의 모형을 발견 가능하다고 말한 바 있다
따라서 초현실주의자들은 무의식과 현실의 융합 즉 언어와 무의식이 갖는 공통성은 내용의 층위와 다르지 않고 여긴다
그의 시「가방 속의 탁상시계」일부분이다 이 시에는 몇 가지 공간 층위가 나타난다 우선 먼저 국수집이라는 공간 층위가 나타난다 두 번째는 국수라는 음식 층위가 나타난다 화자에게 국수는 권태로운 생일만큼이나 매력 없고 맛없는 음식이다
이곳의 유리창을 통해 화자는 환상 속으로 진입한다 그리고 그 환상 속에서 화자는 이전의 자신이 아닌 다른 무엇이 되길 바란다 세 번째는 소리 층위이다

봄날 무의식의 정거장에서

팩스를 기다리는 화자의 모습이 나타나고 만화경 역시 또 다른 환상 속으로 들어가는 매개가 된다 가방 속이라는 공간층위가 나타난다

다시 처음의 공간인 국수집의 공간으로 회귀하는 과정에서 뻐꾸기 소리를 듣고 거울을 보며 다시 환상 속으로 빠져드는 상상의 순환성이 공간 맛 소리라는 세 층위로 이루어져 있다

사람들은 물고기 우산을 쓰고
유령 같은 어둠은
침침한 바퀴소리를 접었다 펼쳤다
〈중략〉
그림 없는 액자 밖에는
부엉이 날개 모양의 이파리가 내려다보고 있다
죽은 사람의 전화번호처럼
납작해진 길고양이
바닥을 할퀴고
물의 무덤으로 끌려간 두 개의 발
붉은 웅덩이를 이어 붙인 검회색 하늘
구름은 내가방으로 흘러들었다
목쉰 소리를 내며
축축한 시간은 강으로 버려지고
나는 물의 얼굴을 빠져나가자 못했다
현기증 나는 약봉지는 흰죽처럼 번졌다 일부

봄날 무의식의 정거장에서

토도로프는 환상성을 괴기성와 경이성으로 나누고 괴기성은 다시 순수한 괴기성과 환상적 괴기성으로 나눈다 경이성은 환상적 경이성과 순수한 경이성으로 나눈다 현실의 법칙을 위반하지 않고 기술된 현상을 설명하면 괴기성이고 현상을 설명하기 위해 새로운 자연법칙을 인정하면 경이성이 된다

시 「여름 감기」 일부분에서는 괴기에 가까운 환상성을 드러낸다 유령 같은 어둠 침침한 바퀴소리 그림 없는 액자 밖 죽은 사람의 전화번호 무덤과 같은 표현에서는 음침하고 불길하며 부정적인 시간성과 공간성을 드러낸다 이 시에서 환상성은 사실성을 위배하며 광기와 착란을 이용하는 모호함을 의미한다

물고기 우산 붉은 웅덩이 검회색 하늘 목쉰 소리 축축한 시간 등에서는 괴기한 공간적 이미지를 지닌다 이 시에서는 자연 법칙만 아는 사람이 초자연적 사건에 직면해 경험하는 망설임으로 초자연적 현상과 현실과 상상 사이의 망설임으로 규정하는 환상성이 나타난다

현실인 것 같지만 현실은 아닌 그렇다고 비현실도 아닌 음침하고 불안한 습한 환상적 괴기성을 지닌 초자연성을 드러낸다

봄날 무의식의 정거장에서

회백색의 휘어진 선이 거리를 품는 중이다
그 길은 늘 빗물이 번들거리거나
잔설에 발자국이 얼어붙어 있다
창으로 보이는 길
소리 내지 못한 울음이
사생아를 넣은 길
징크 화이트를 뒤꿈치에 찍어 발라 찐득찐득하게
저항하는 길을 물고
엉덩이가 큰 여자가 정오의 해를 흔들며 걸어 들어간다
뒷골목이 몸을 틀어
고여 있는 길을 쏟아낸다
오후 다섯시 반에 멈춘
교회종탑시계
파문당한 사제복에 남아있는 향내 같은
위트릴로 그림 밖으로
걸어 나와 그늘이 되는 여자
피를 쏟아내는 백색의 꽃이 자라는 그 곳
건너갈 수 없는, 거기
흐르는 길은 또 다른 이름을 갖기 시작한다

-「흐르는 길」

봄날 무의식의 정거장에서

환상이란 시선視線에 의해 유발되는 물질과 정신의 한계를 중심으로 주체와 객체 사이의 경계 소멸 시간과 공간의 변형이 유래한다 (토도로프 1972)

시 「흐르는 길」에서는 루이 박스의 말처럼 미결정 상태에 머무른 이상적 환상성이 나타난다 어떤 상황으로 진입하지 못하고 경계에 있는 상황을 품는 중 소리 내지 못하는 울음 저항하는 길 등으로 표현된다

다음 단계로 차마 이행되지 못하는 상황에 머물러 있으면서 환상성을 유발한다 실재의 공간인지 무의식의 공간인지 시의 거리는 회백색의 휘어진 선으로 길은 빗물 잔설로 뒤덮여 있다

이 공간은 눅눅하고 어두운 내면적 공간을 의미하지만 실은 이도 저도 아닌 비현실적인 공간이다 물기와 바닥에 쏟아지는 피로 바닥은 끊임없이 공상적이고 몽환적이 되어가는 점을 상기하는 축축한 길의 잔상만 남는다 엉덩이가 큰 여자는 더 이상 길을 갈 수 없고 길의 끊어짐에서 불러들이는 다른 이름을 갖는 흐르는 길이 된다 과거와 현재 의식과 무의식 그림 안과 그림 밖을 오가는 동안 살아 움직이는 여자는 혼돈과 환각 불확실과 확실 사이에서 시각적 청각적 후각적 혼란함과 더불어 현실과 비현실의 경계를 넘어서서 몽환과 환상을 극대화시킨다 엉덩이 큰 여자 파문당한 사제복에 남아있는 향내 그늘이 되는 여자 피를 쏟아내는 백색의 꽃 등에서 유추되는 이 불길한 관능성은 어두운 삶을 확장한다는 관점에서 보면 제도화된 삶의 허구를 도피시키는 과정에서 성적

봄날 무의식의 정거장에서

에너지를 방출하고 이로써 자유로움을 얻는 해방감을 표현한다

시에 나타나는 성적 표현들은 금기된 원초적 쾌락을 벗겨내어 무의식의 원형을 밝히는 한편 가식적으로 정직한 관습적 사회의 가면에 대한 횡포를 파괴력 있게 표현한다고 볼 수 있다

한밤중 어디에서 소리가 난다
둑 뚝
소리가 깊어지며
나무에서 빠져나오는 소리
천장을 받치고 서있는 장롱
거기 마호가니 나무에서 새어나오는
어린 새의 심장소리일까?
어둠 속에서 손가락으로 내 목의 뼈들이 휘어지는 소리
둑 뚝
벽들은 참았던 숨을 뱉어내는지
여러 겹의 벽지들이 들뜨는 소리
별들은 숨을 한 겹씩 벗겨낸다
지금은 귀머거리의 귀가 열리는 시간
수첩의 글자들이 뒤섞이는 시간
벽들이 하나씩 열리고
날 숨이 물결치는 그때
나뭇결이 품고 있던 소리는 내 발끝으로

봄날 무의식의 정거장에서

올라온다
밤은 푸르스름한 빛과 함께
천개의 숨결로 흩어진다

-「숨」

환상성은 일상의 단절뿐 아니라 초자연성의 단절로도 정의된다 비현실이 뒤섞인 현실을 만들어 내는 환상성은 자연성과 초자연성이라는 두 공간을 오가며 형성된다
환상성이란 베시에르에 따르면 현실과 비개연 경험과 메타 경험에 기초를 둔다 P 사르트르(1940)는 현실의 재현을 추구하므로 수긍 가능하며 동시에 현실의 재현이 불가능하므로 수긍 불가능한 두 경우를 함께 지닌다고 했다
시「숨」에서는 화자가 있는 현실의 공간에서 소리를 통해 환상세계로 진입한다
이 환상성은 내적 동기에서 비롯된 정신 활동 실현 수단으로 사용되는 한편 다양한 소리 층위를 재현한다
즉 나무에서 빠져나오는 소리 목뼈 휘어지는 소리 벽지 들뜨는 소리 나뭇결이 품던 소리들이 흩어지고 귀머거리의 귀에도 그 소리가 들리는 시간에 놓여 있다
모두 마호가니로 만든 장롱에서 들려오는 어린 새의 울음소리가 들리고 벽지가 들뜨는 소리 한 겹씩 벗겨지는

봄날 무의식의 정거장에서

별의 숨소리 등을 통해 비현실 속으로 진입하면서 현실이 내재되는 경이로운 환상성이 드러난다 시의 공간은 화자가 존재하는 공간과 화자의 생각 속에 존재하는 자연이 뒤섞인 절대 현실로 존재한다

소리하나가 너를 따라다닌다
전화 통화 중일 때
전화보다 먼저 너의 귀에 달라붙는 말
수화기를 들어봐 도마뱀이 받을 거야
왼손으로 그려 넣은 악보처럼
달팽이관으로 달려드는 소리들
비에 젖은 신발을 말려봐
비눗방울 속에서 빠져 나올 수 있어
텔레비전 소리에 끼어드는 사이렌의
소리는 너에게 무엇을 말하고 싶었을까?
비밀번호가 잠긴 약장에서 흘러나오는 익사한 이름들
보이지 않는 곳에 고정된 눈동자는
유리창에서 깊어진다
'창밖에 흘러내리는 빗물을 손가락으로 밀어봐
뒤죽박죽된 얼굴이 보일거야'
버터처럼 녹아내리는 시계
네가 모르는 소리들이
너를 보고 있다
유리창 위의 그림자가 경악한다

봄날 무의식의 정거장에서

너는 시간에 갇혀버린
소리의 유령
또 하나의 소리가 환청을 밀고 들어온다
물 밖으로 나온 물고기처럼
벙긋거리는 입술
차가운 유리벽에 문지르며 숨을 뱉어내기 시작한다 -
                                                        -귀」

환상성이란 생각이나 욕망으로 사물을 재현하는 방식 중
의 하나이다 따라서 지각이나 상상력이 바탕이 되며 편
협함이나 과대망상증이 만들어낸 기이함을 토로 하는 무
의식의 세계를 지배적으로 표현한다
시 「귀」에서는 전화 텔레비전 빗물 시계 숨이라는 하나
의 통일된 소리 모티브를 중심으로 소리의 층위를 다양
한 재현이 나타난다
전화기 소리 텔레비전 소리 사이렌 소리 모르는 소리 급
기야는 환청처럼 들리는 소리의 유령이 등장하는데 이들
을 통해 각 형상들이 본래의 모습을 잃어가는 데포르마
송 기법이 나타나 있다 이러한 여러 사물의 층위로 이루
어지지만 각각을 떼어내서 구분하기 쉽지 않다
소리들이 특정한 어휘를 통해 의미가 확장되면서 상상적
체험이나 현실적 체험이 토대가 된 내적 독백에 가까운
전개방식을 택한다

봄날 무의식의 정거장에서

이는 소리를 내는 여러 층위들이 서로 다른 시공간에서 서로 다르게 간섭하면서 이루어진다 따라서 동일한 광경이 아니라 심리적 광경이 생경한 상황을 불러들이는 가운데 리얼리티를 구현한다

너는 꿈에서도 죽지 못했네
아무르비단벌레
사랑이란 방부제가 들어가지 않은 빵과 같아
시간이 흐르면 변해가지만
이 지상에서 사라지지 않는 너의 빛
깊은 잠속에서 날아오르고
한줄기 바람은 별빛을 흔들어 깨우네
경주박물관 말안장에 박혀 있는 날개
못자국 아래서 숨결처럼 흔들리는데
아무르 아무르
어느 사냥터에서 말발굽소리
두근거리며 먼 그대에게 달려갔을까
녹청처럼 얼룩진 시간
축축한 어둠은 별빛을 빨아들여
팽나무 톱밥 사이에서 날개를 만들었지
죽고 또 죽어서 잘려 나간 날개들
깨어나지 못한 채
가늘게 떨고 있는데

봄날 무의식의 정거장에서

-「별빛에 따라 달라지는 인상파 그림처럼」

니체는 예술이라는 매개를 거치지 않고 그 자체로 표출된 자연적 예술 상태를 꿈이라고 말했다 이처럼 꿈은 전승 변형 해체 보충과 같은 다양한 양식을 더하면서 작품화되기도 한다
이러한 꿈의 표현 양식은 Bono의 뒤집어 생각하기처럼 창의적 발상을 의미하는 부분이 있는데 그것은 수평적 사고의 유효한 방법으로 사물의 관계를 의식적으로 뒤집어 새로운 관계를 찾아내는 시야를 택하게 된다
즉 기본적 사고의 전환 변환으로 경직된 사고와 언어에서 벗어나게 된다 시「별빛에 따라 달라지는 인상파 그림처럼」에서는 꿈 박물관 팽나무 톱밥 사이라는 몇 개의 공간을 넘나들면서 환상성을 확장한다
화자는 박물관 유물 속의 아무르비단벌레를 발견하고는 마치 꿈을 꾸듯이 역사적 현장 속으로 몽환적 상상력을 펼쳐 들어간다
이러한 시각은 사물을 주어진 관점에서만 바라보기보다는 다각도로 전환하고 변환하는 한편 다면적 유연성을 지녀야 비로소 가능하다
그 과정에서 경이로운 상상력 발현 또한 가능하다 동일어에서 유추되는 아무르(사랑)이라는 새로운 관계를 열어놓고 말안장위에서 사랑하는 이를 향해 달려갔을 과거의 한 남자를 떠올린다

봄날 무의식의 정거장에서

이러한 공간의 이동과 공존은 몽환적 상상력을 동원하여 미지의 세계로 향한다 따라서 유사 어휘로 열어가는 시공간 넘나들기에서는 다양한 사고의 방향을 여는 다층적 사고의 유연성을 드러낸다

여기가 나에겐 산이지요
그는 열 개의 발가락을 에베레스트에 묻고 왔다
눈사태처럼 무너져 내리는 거품
그는 유리창의 시간을 닦아내고 있다
비밀이 평생 잠들어있는 얼굴들
요일별로 성을 가진 티벳사람 같은
빌딩의 창으로 받아 마시는 커피엔
눈물 냄새가 났지
기억을 건너 절름거리며 오는
묻혀버린 사람의 전화번호
두꺼운 책의 패인 홈에 숨어 있는
유령거미처럼
유리벽을 오르내리는 그림자
저 아래 사람들은 흔들리는 밧줄을 밟으며 간다
늪 같이 어두워지는 유리의 성
그의 발가락을 품고
깨어나지 않는 산처럼 가라앉고 있다

-「유리벽 위의 남자」

봄날 무의식의 정거장에서

우리는 지각하고 경험하는 일들을 현실 상황 속에서 재현하기란 쉽지 않다 따라서 우리가 사실이라고 주장하는 어느 부분에도 상상이나 환상 혹은 환상적 요소가 더해진다는 여지를 남겨두고 생각해야 한다

시 「유리벽 위의 남자」에서는 심리적 두 층위가 나타난다 유리창 밖 빌딩 숲을 밧줄 하나에 의지하여 유리창 닦는 작업을 하는 어느 남자를 모티브로 하고 다른 하나는 화자 자신도 모르게 그 남자가 되는 동일시하는 심리적 두 층위가 나타난다

유리창을 닦는 사람의 발을 묻고 온 에베레스트로 또 화자는 유리창을 닦는 남자를 자신의 모습과 동일시되다가 책의 홈을 오르는 거미와 같은 존재로 다시 화자와 거리를 두고 멀어진다

누군가가 창문을 통해 한 잔의 커피를 그 남자에게 전해주고 힘든 노동을 하고 잠시 휴식하는 그 남자가 마시는 커피에는 눈물 냄새가 난다고 하여 화자와 그 남자와 거리를 둔다

빌딩을 두꺼운 책의 외면으로 늪같이 어두워지는 유리의 성으로 깨어나지 않는 산으로 그 남자를 유령거미로 바라보는 집요한 시선 끝에서 보면 분명 현실이지만 비현실적이며 동시에 비유적 상황을 불러들여 현실 상황을 환상적으로 변형시키고 그 과정에서 현실과 비현실의 경계는 모호하고 흐려진다

봄날 무의식의 정거장에서

결과적으로 심리적 불안감과 현실의 위태로움은 절묘하게 조화를 이루는 낯선 상황 속에서 오히려 몽환적 섬뜩함을 유발하고 이로써 내면적 각인 효과를 자아내는 동시에 환상성을 각인시킨다

시간을 뒤로 클릭해 보세요
나는 은하철도를 타고 달린다
내성적이고 부끄러움이 많음
담임선생의 뭉툭한 엄지손가락이 남아 있는 생활통지표
전학 간 친구가 전해준 올챙이 같은 편지
살구색 치맛자락을 살짝 치켜든 어머니
오월의 꽃그늘로 걸어가신다
디지털이 무엇입니까?
자연이 진화한 것이다
디지털이후는 무엇이 올까?
잭슨 플록은 아직도
바람의 염료를 뿌리고
아드리아 해의 물결을
내방으로 울컥울컥 쏟아 놓는다

-「설치 미술」

봄날 무의식의 정거장에서

칼리그람 calligrammes 이란 시와 회화가 결합된 형태로 언어의 특성과 조형적 특성이 상호 보충한다 초현실주의 시의 경우 무의식을 말 혹은 언어로 사유한 이미지를 표현하는 측면은 있다

하지만 이는 시각적 충격을 통해서 제시되는 상징적 의미로 모호한 단어사용 및 배열 복잡한 얽힘 이중 분절 반복 등을 사용하여 표현하게 된다

시「설치 미술」에서는 시간을 뒤로 뒤로 반복적으로 클릭하는 과정에서 어린 시절로 학창시절로 현재의 상황으로 과거로 현재로 미래로 이어지는 시공간들이 복잡하게 얽히고 배열되는 상황이 한 곳에 동시공존하면서 이들은 동시다발적으로 다면적 사유가 진행된다

시간을 과거로 돌리면 돌릴수록 점점 더 어린 시절로 그리고 그 어린 시절이 점점 현재와 가까운 과거로 다가서고 미래는 미지의 상황으로 뒤덮여 모호한 상황으로 이어진다

과거를 회상하고 미래를 공상하는 화자에게 현재는 뒤로 뒤로라는 언어의 기호화가 이루어지는 과거는 한 폭의 그림처럼 펼쳐졌다가는 사라지고 또 다시 펼쳐진다

이러한 과거 혹은 미래로의 이행은 내면에 기억된 이미지를 되새기는 방식으로 나타난다 그리고 미래라는 상황과 아드리아 해와 방이 한 공간으로 통하는 시공간의 층위가 뒤얽히는 현상으로 물체와 언어들이 뒤범벅된 칼리그람적 특성이 나타난다

봄날 무의식의 정거장에서

161

시간은 글씨가 사라진 양피지 같아
물고기의 흐린 눈은 물소리를
찾아가고 나는 더듬거리며 창유리에
문을 그려 넣는다
그림속의 여신은 대리석
이마에서 기억의 피를 쏟아낸다
바다는 수평선을 끌어내려
구름을 가둬놓고
그 안에 흐르던 물소리는 어디로 갔을까?
밤의 유리창은 꺼진 티브이처럼 캄캄해
검은 대리석 거울 속에 나는 담겨 있다
밤은 블라인드에 가려지는 내 말을 어디론가 전송한다

-「밤의 유리창」

인간은 자신의 내면을 들여다보는 눈을 지니면 일상적으로는 자각되지 못했던 무의식의 욕구나 욕망 갈등 상처 불안 등과 다양한 내면의 모습이 성찰가능하다 그 결과 과거에 집착하던 환상에서 벗어나고 현실의 대상과 현재의 다양한 차원에 대해 공감하게 된다
이를 라캉은 거세된 주체성의 회복이라는 개념으로 본다 시「밤의 유리창」에서는 시간 여신 바다 물소리 유리창 밤 등이 주체적으로 움직이는 행동 층위가 나타난다

봄날 무의식의 정거장에서

그러한 행동 층위는 찾고 쏟고 그리고 흐르고 담기고 가려지는 각각의 양면성을 드러낸다 또한 화자는 밤중에 검은 유리창을 응시하면서 문을 그려 넣는다에서처럼 내면의 문을 만들고 열고 들어가 자기 내면에 잠복한 수많은 무의식과 뜻밖의 환상을 만나 이성과 감성으로 자신을 분석한다

의식적으로 행해 온 많은 일들을 피를 쏟아낸다 흐르던 물소리 전송한다와 같이 혹 꺼진 티브이처럼 기억나지 않은 내면의 기억을 외부로 흘려보내고 무의식의 정서를 이끌어내려는 과정에서 본질적 자신을 만난다

이러한 변화를 거쳐 거짓된 무수한 말들은 사라지고 참된 자신만 남는다

이 경우의 내면으로 침잠하는 환상성은 화자 내면의 결핍 불안 방어기제 등에 직면한다 그리고 내면 깊이 던져진 정신과 의식이 초의식적 활동으로 무의식 속에서 반복되던 환상이 해체되거나 수정된다

이러한 예기치 못하게 분출되는 환상은 결국 무의식 속에 숨어 있던 경험을 반복적으로 되새기는 과정에서 가능하다 악몽이나 낯설음과 같은 환상성이 적극적으로 나타나지 않는다

하지만 창유리에 문을 그린 이마에 기억의 피를 쏟아낸 거울 속에 담긴 등과 같은 비논리적 징후가 나타난다 화자의 이러한 상황은 이성적이라기보다는 환상적이고 감성적인 내면적이고 몽환에 가까운 상태에 놓인다

봄날 무의식의 정거장에서

밤의 도화지에 태양과
새를 그려 넣고
언제나 새로운 날이
시작되었지
매표소 앞에서 분류되는 남자와 여자
탕 안의 여자들은
이미 잃어버린 신화의 뒷장 같았지
노란 동공은 누설되지 않은
방향으로 걸려 있어
소금을 바르고 비닐을 허리에 감은 그들
열탕에서 돌아나는 강물소리
소금호수로 흘러들진 못하지
언제나 새로운 같은 날
지금 살아 있는 자의 말은
자수정 벽에 봉인되고
사라진 사람의 목욕바구니는
막차 선반 위 가방처럼 얹혀 있었지
천장의 숨구멍을 세어보던
일곱 개의 물거울에서
드라이플라워 같은 흑수선은
피어오르고
소란한 물소리는 물속으로 녹아들고
모래시계는 어떤 시간도 귀띔해주지 않았지
반송된 이메일에 대해

봄날 무의식의 정거장에서

잘려나간 도마뱀의 꼬리의 빨간 피에 대해
바람의 알리바이를 감추는 지하 목욕의 시간
그곳엔 백 년 동안 비가 내리지 않았지

－「낮은 목소리로」

A 브르통에 따르면 환상이란 삶의 보람이며 생의 희열이
고 영원한 젊음을 찾을 수 있는 원천이 된다 이러한 환
상의 기준은 작품이 아닌 독자의 개별적 체험에 내재되
어 있다(Lovecraft 1945)

환상성이란 자기중심적 환각상태로 이를 지속하기 위해
서는 현상이나 물질적 정신적 현상 무의식적 차원까지도
고려하여 끊임없이 현실을 전복하고 뒤흔드는 불안을 만
드는 변형성을 추구한다

시「낮은 목소리로」에서는 목욕탕을 배경으로 환상성을
펼쳐낸다 매표소 탕안 모래시계 등과 같이 목욕탕을 둘
러싸고 반향 되는 다양한 환상적 상황을 삶의 여정에 관
련지어 상상력을 펼친다

목욕탕과 무관한 거울 속에 느닷없이 나타난 흑수선 모
래시계 이메일 도마뱀꼬리 바람의 알리바이 등과 같이
모호하고 경계 지을 수 없는 다중적 정황이 펼쳐지고 이
를 뒤쫓아 가는 과정에서 현실을 담보로 하는 환상성을
부추긴다

봄날 무의식의 정거장에서

이 환상성은 밤이라는 도화지에 그려진 목욕탕을 주제로
한 그림처럼 현실을 환상과 교차시키는 과정에서 환상성
을 극대화시킨다

면도칼이 녹아내리는 문장 뒤에 서 본 적이 있나?
언제부턴가, 그 방은 파지가 쌓이기 시작했어
알 껍데기를 깨고 프린터에서 빠져나오는
꽃이 중얼거린다
너의 이마에 찍힌 번호
도마뱀의 잘린 꼬리 같았지
나는 몽유병에 걸린 듯 단어를 찾아다녔지
사라진 천재들이 내머리칼을 잡아당길 때
처음 듣는 낱말의 침전물이 부유한다
뼈대가 부서진 소조 같은 문장
발가벗은 사람들은 연필로 그려진
도시를 지나며 아무 말도 흘리지 않았어
우린 범종에 낀 불협화음처럼
같은 책을 들고 다른 페이지를 뒤적였지
의심의 맨 끝에 도착하지는 못했어
충혈된 시계위로 폭설처럼
쏟아져 내리는 파지
누가 녹아내리는 면도칼의 문장을 알아챌 수 있을까?
1초도 자기 자신을 낭비하지 않는 시간처럼
바스락거리는 이파리 소리
　　　　　　　봄날 무의식의 정거장에서

도무지 닫히지 않는 귀 하나, 여기 있다

-「중얼거리는 꽃」

프로이드는 인간이 꾸는 꿈과 환상성을 인간의 정신적 현실의 정당한 구성요소로 파악하고 과학적 분석의 대상으로 삼는다

초현실주의자는 비합리성과 불가사의를 활용하는 과정에서 합리적 논리적 사고를 넘어 무의식과 잠재의식을 기록하는 자동 기술법을 사용하여 새롭고 신선한 충격을 준다

시 「중얼거리는 꽃」에서는 문장 방 프린터 이마 범종 책 도시 시계와 같은 사물이 존재하는 몇 개의 공간 층위가 나타난다

이 공간층위들은 서로 연계되지 않은 채 환상성이 동시다발적으로 일어나는 상황을 자동 기술한다 이러한 정황 중 드러나는 자동주의적 데생은 자발성과 뜻밖의 결합으로 이루어지며 틀에 박힌 이미지를 벗어버리고 순수한 상태로 변신한다

이에는 몽환(H 리드 1974)과 더불어 리듬감이나 격정 자유분방함 등을 표현한다 이 과정에서 표출되는 이미지를 언어로 표현하는 우연성을 전제로 한다

이처럼 시에서는 면도칼 뒤의 문장 프린터를 깨고 나오는 꽃 낱말의 침전물 소조 같은 문장 닫히지 않는 귀와

봄날 무의식의 정거장에서

같은 현실 속의 사물이 비현실적 공간 속에서 시적 변형을 거치는 과정에서 전혀 다른 조합을 통해 최고의 환상성을 일으킨다

이렇게 불러들인 환상성은 무의식으로부터 출발한 강렬한 내면적 욕구를 표현한다 결국 우리가 대상을 향해 사유하는 대부분은 외부 환경에 적응하기 위해 이루어진다 하지만 외부로 향하는 사유와 달리 어떤 규제 없이 스스로의 내면에서 이루어진 사유의 결과물인 셈이다 이미지는 이미지로, 감정은 감정으로 수천수만의 기억된 각각 다른 이미지로 이룬 과거 집합체가 내면적 사유이다

잉크가 떨어진 만년필은
그림자가 없고
명사가 된 나는
다음 동사를 불러들이지 못한다
진혼곡처럼 남아있는 밤의 배설물들
노래를 입지 못한 글자들은 재 냄새가 난다
내 눈 속에 남겨진 새의 그림자
잠든 자는 자기가 누구인지 말하지 않는다

-「새가 지나간다」

봄날 무의식의 정거장에서

프로이드에 따르면 문학작품과 인간의 무의식에서 일어나는 것 사이에서 유사성을 발견한 결과, 인간의 감춰진 욕망에는 동일성이 있다고 전제하고 이 동일성으로 욕망의 탈출구인 작품이 존재한다 (J.J. 스팩터 1998)

시 「새가 지나간다」에서는 떨어진 없고 불러들이지 못한다 진혼곡 밤 배설물 말하지 않는 등과 같은 부정적이며 어두운 의미를 지닌 어휘들이 사물과 만나 자유로운 구성을 이루는 과정에서 몽환적 상황을 불러들인다

특히 노래를 입지 못한 글자 부분에서는 시각적 청각적 이미지로 꿈 꾸며 무의식을 표출하는 수단으로 선택된다 잉크가 없는 만년필이라는 무의식의 기록은 의식을 배제하며 끊어지지 않는 밤이 연계되어 표현된다 언어를 생성하고 사멸하는 과정을 담은 변화는 말이 살아 숨쉬는 듯 시각적 청각적 요소를 담은 채 생명성을 띤다

나는 완성할 수 없는 문장일까요? 자음과 모음은 나를 밀어내요
말할 수 없는 것을 말하려는 나
딱딱하게 굳어버린 흑빵 같은 나
일인칭 위에 닻을 내리려 해요
누구도 가르쳐 주지 않는 나
허기진 뱃속에 밀어 넣는 막대사탕 같아
오븐에서 부풀어 오르는 빵 같은 한마디
"나는 이곳에서 너무나 행복해요!!"

봄날 무의식의 정거장에서

무의식의 관점에서 볼 때 우연성은 작품을 구성하는 필연적 요소이다 자동적으로 얻어낸 단편적 이미지를 시로 재구성하는 과정에서 시각적 요소는 현실의 이미지와 달리 환상적이고 미묘한 비현실성을 드러내기 때문이다

시 「일인칭 위의 사람들」에서는 나에 대한 여러 층위가 표현된다 말과 관련하여 극단적 부정성을 함축하는 화자 자기 존재가 막대사탕 빵 등과 같은 희망적 사물로 바뀌는 상황이다

무의식적으로 자신에 대해 기술하는 방식이 블랙유머에 속한다 말할 수 없는 것을 말하려는 나 누구도 가르쳐주지 않는 나 딱딱하게 굳어버린 흑빵 같은 나에서처럼 자신이 몸담은 현실에서 한걸음 물러선 채로 자신을 누르는 현실 상황에 반항하는 자신을 조소성을 포함한 채 이를 자각하는 현상에서 확인가능하다

이는 세계를 인식하는 방식이 소리층위 내면적 심리 층위 음식이라는 현존적 층위 등 다양하게 나타난다 이러한 블랙유머는 기존 현실과 거리가 먼 다른 현실에 오브제를 두는 과정에서 일상성과 의미를 상실하고 새 의미 전달의 형태를 만드는 방식이다

따라서 블랙유머는 환영인줄 아는 환영이다 정신과 세계 사이의 모순을 초월하는 척하지만 그 모순을 파악하는

봄날 무의식의 정거장에서

세계를 포착하지 못한다는 의식이자 생을 지배하는 것을
모순으로 자각한다

그는 철쭉이 지는 소리로 웃는다
핏기 없는 대리석 같은 얼굴
긴 속 눈썹 아래 꽃잎이 날아든다
햇볕이 들지 않는 구둣방
송곳구멍으로 들락거리는
그의 손끝에서 사라진 길들
발은 구두의 기억을 간직할 수 있을까?
구두는 발의 모양을 허물고 있었지
꽃의 주름이 잡혀있는
빈센트는 꽃을 그리고 아홉 점의 구두를 그렸지
그림속의 생레미 병원을 옮겨놓고
편지를 부치러 가던 길
주사바늘 같은 비가 내렸지
맑은 착란이 구불거리던 길
사이프러스 나무 사이로 별은 출렁거리고
선반 위에 가지런히 놓인 아홉 점의 구두
구둣방 작은 창으로 꽃그늘이 늘어난다
길은 구두 밖으로 버려지고
구두는 이제 발을 말하지 못한다

-「아홉 점 구두로 남은 사내」

봄날 무의식의 정거장에서

초현실주의란 현실 속에서 자기 체험과 기억 그리고 육체에 얽매어 있다는 생각에서 발현된다 그 결과 황홀경이나 비논리적 과정을 거쳐 초현실을 창조하고 이를 현실과 조화시키려 한다 하지만 이는 현실에서는 불가능하며 꿈속에서나 가능하게 되는 초현실적 환상만이 설명가능하다

시「아홉 점 구두로 남은 사내」에서는 청각 시각 촉각 등으로 발현된 다양한 환상적 층위가 나타난다 구두와 관련된 시각적 환상성은 시공간을 초월하여 빈센트에 이른다

하지만 결국 다시 환상이 시작된 공간으로 회귀한다는 특성이 나타난다 화자는 구둣방의 구두장이 일상을 접하면서 빈센트 반 고흐의 그림을 떠올리고 그 과정에서 그림 속으로 환상 속으로 접어든다

고흐의 그림 속에서 펼쳐지는 다양한 광경에서 화자의 환상성은 극대화되면서 다시 구둣방이라는 현실 상황으로 시선이 되돌아오고 이 과정에서 초월 상황에 도달하게 된다 화자는 현실의 속박에서 벗어나고 동시에 무감각을 뒤흔들어 영혼을 깨어나게 하여 스스로를 우주와 합일한다

대개 환상성은 일상을 배경으로 신비감을 토대로 하므로 받아들이는 과정에서 불안 공포 기괴함 괴이한 세계를 체험하기도 하는 힘이 된다

봄날 무의식의 정거장에서

네 사람이 말을 한다
세 사람이 말을 한다
두 사람이 마주보고 있다
너는 보이지 않는다
잘 손질된 돌처럼 앉아 있는 사람들
높이 든 술잔은 한 방울의
잉크를 떨어뜨린 것처럼
말들을 간섭하며 흘러 다닌다
사람들의 입에서 나오는 흰서리 같은 입김
그들은 목소리를 녹여내지 못한다
그런데 너는 어디에도 보이지 않는다
〈중략〉
시간은 밀랍 같은 혀를 움직이기 시작했을까
물기 없이 피어오르는 검은 말들
흙먼지를 뒤집어 쓴 모하비 사막의 돌은
로제타스톤을 모르리
몸을 빠져나오지 못한 문자들
로제타스

-「돌과의 대화」

봄날 무의식의 정거장에서

환상성이란 터무니없고 기이한 장면과 의아하고 독특한 상황에 놓이면서 인식이 새롭게 변화하는 특성을 지닌다 현실을 재현하는 듯 하지만 실제로 현실과 비현실에 문제를 제기하는 기능을 한다

때로는 변형시키고 해체시키는 과정에서 상상력을 자극하고 새로운 진실을 제시한다 환상성은 내면에서 환기된 두려운 낯설음을 제공하지만 익숙한 세계를 낯설게 하는 과정에서 인식론적 전환과 존재론적 변이 속에 새로운 지평을 생산(오기호)한다

시「돌과의 대화」에서 화자는 술잔이 사람 사이를 간섭하며 흘러 다닌다고 한다 이러한 표현 속에서 기존의 술이나 사람이라는 시어들은 낯설고 새로운 것이 되기 위해 기존 사물의 특성을 전도시키거나 다른 것과 재결합된다 이전과는 전혀 다른 새로운 사실을 만들고 그 과정에서 기존의 가치들은 사라지고 전혀 새로운 사물들이 충돌되는 상황 속에서 가치 전도된 부분이 나타난다

즉 주객이 전도된 사물 바라보기가 나타난다 술잔의 한 방울 술이 사람의 말을 간섭하는 상황에서 시공간을 넘어 모하비 사막 로제타스톤에 이르기까지 말은 물기 없이 검은 빠져나오지 못하는 등과 같이 부정적이고 희망이 없는 상황이 된다

사회질서가 유지되는 기존의 구조와 의미를 해체해서 문화적 안정성을 전복시키는 기능을 환상성이 해낸다는 의미이다 환상은 해방 기능으로 폐쇄된 현실 영역을 표면화하고 사회적 문제를 언급한다

봄날 무의식의 정거장에서

알아듣지 못할 말을
중얼거리는 거지처럼
드라이아이스는 낮게 깔리며
내 발끝으로 들어온다
누군가 흘리고 간
이력서 같은 진주목걸이 바닥을 굴러다닌다
나는 어두운 대기실에 앉아
커튼 사이로 무대를 엿 본다
언 생수통이 깨지듯
얼굴 위로 빛이 쏟아진다
〈중략〉
내 발밑에 내리는 질산 같은 눈
길 끝에는 보이지 않는
커튼이 내려져 있다
눈은 흰색을 지우고 어둠을 부식시킨다
그것은 말랑한 벽이었다
한발만 내디디면 무대 밖이다

-「조명등 밖으로」

애드가 알렌 포우는 모사만으로 시가 되지 않는다고 했
다 그에 따르면 진정한 시는 쾌락을 직접적 목적으로 삼

봄날 무의식의 정거장에서

는다고 하였으며 불특정의 감각에 지각된 이미지를 제시
해야 한다고 했다 시「조명등 밖으로」에서는 주로 시각과
촉각에 다른 신체층위가 나타난다

시의 화자는 죽은 시계 낮게 깔리는 드라이아이스 굴러
다니는 진주목걸이 얼굴위로 쏟아지는 빛 흰색을 지우는
눈 깨진 조명등 흐르다만 전선줄 등 다양한 사물의 이미
지를 통해 시의 배경이 되는 무대를 보여준다

천정의 죽은 시계를 바라보는 우연성과 말랑말랑한 벽이
지닌 아이러니한 반전에서는 기존의 사물 바라보기가 아
니라 전도된 감각이 나타난다

눈은 흰색을 지우고 어둠을 부식시킨다는 점에서는 현실
과 상상 사이를 오가는 망설임과 리얼리티를 위배하는
모호함이 시의 배경이 되고 한발만 헛디디면 무대 밖이
라는 점을 시사하면서 화자가 처한 일그러진 현실에 대
한 불안정이 나타난다

알아듣지 못하는 말로 중얼거리는 거지의 광기 그리고
바닥에 굴러다는 진주목걸이에서는 환상적 착란을 표현
한다

시에서 환상은 일반적으로 받아들여지는 사실이나 사물
을 위반하고 사실에 반대되는 조건을 오히려 사실로 변
형시켜 독자들을 어리둥절하게 만들고 낯선 신선함과 창
의적 발상을 엿보게 한다

석고상은 붉은 입술로

봄날 무의식의 정거장에서

일렁이는 말을 한다
목소리가 듣고 싶었어 아무 말이나 좀
잠에서 깨어나
그는 링거 줄을 뽑아 던진다
회색 피가 흘러나오는 제라늄 화분
그는 입술을 더듬어 본다
좋은 말을 해 본 지가 오래 되었어
낮에도 밤은 여러 번 찾아왔고
휘어지는 길을 따라 아침은 사라졌다
간호사들은 오늘 죽은 사람의 생일 케이크를 우물거린
다
나는 내 맘에 들고 싶어
밧줄에 묶인 채 거꾸로 올라가는 간판
창밖의 검은 태양은
바닷물 색을 울컥울컥
쏟아내고
간판이 있던 자리 공중에 걸린 둥지 하나
어린 새의 솜털이 묻어 있다
그는 유리창 위에 입술을 벙긋 거린다
한 단어 한 단어 말의 입김이 번진다

-「무성의 입술」

봄날 무의식의 정거장에서

그로테스크는 현대 사회에 있어 언급하기 힘든 성문제를 반영하거나 삶의 공허함을 무의미성으로 표현하거나 풍자한다 이 과정에서 존재를 긍정하고 존재에 역동성을 부여하고 현실 속의 사물과 관념 사이에 존재하는 그릇된 위선들을 재정립하는 한다

한편 위계질서를 파괴하고 괴리를 넘어서 자유로운 결합과 이상적 생명성을 북돋우고 사물의 해방감을 추구하려 한다

시「무성의 입술」에서는 관습화된 틀이나 전통적 인식을 넘어선 과장된 묘사가 주를 이룬다 링거 줄을 뽑아 던진다 회색 피가 흘러나오는 제라늄에서와 같이 섬세하고도 세밀한 묘사에서 기괴한 이미지가 고양된다

이 죽은 사람의 생일 케익 거꾸로 올라가는 간판 검은 태양 등의 부정적 이미지를 건너 간판이 있던 자리 공중에 걸린 둥지하나 어린 새의 솜털이 묻어있다는 표현처럼 부정성을 넘어 사람과 밀접하게 연결된 기괴한 이미지는 음침하고 죽음을 떠올리는 광경을 통해 역설적으로 생명력을 담아낸다

회색 피 죽은 사람의 케이크 바닷물 색을 쏟아내는 검은 태양 유리창 위에 벙긋거리는 입술 등에서는 기존의 고착화된 사물이 갖는 이미지나 관계에서 벗어나 역동적이며 기괴함을 활성화하고 그 과정에서 리얼리즘적 정화된 새 가치관을 드러낸다

그로테스크는 육체에 대한 생존 본능을 현대인은 드러내기를 꺼리거나 외면하는 면을 스스럼없이 표현한다 소외

봄날 무의식의 정거장에서

된 현대인의 입술을 대변하는 석고상의 붉은 입술 입술
을 더듬어본다 우물거린다 쏟아낸다 벙긋거린다 번진다
등은 비적합성을 동반한 세상에 대해 비틀기 방식으로
대응하면서 원시적 삶의 원형을 찾으려는 먹는 행위 등
입과 관련된 과장된 묘사와 입이 갖는 거대한 기능을 강
조한다 그의 시에서는 육체에 관한 부정적 이미지를 내
면적 차원의 그로테스크한 특징을 표현한다

밤의 맥박은
링거 줄에 역류하는 피
천장 네 모퉁이에 어둠이 잘려 있다
터질 듯 부풀어 오르는
역청 같은 기침
시계가 없는 그녀가 오른쪽 손목을 두드린다
무릎 양말 냄새 나는
여기는 먼 나라의 계절이 산다
물속에 잠긴 흉상 같은
이름표를 버린 침대시트
배추색 한 여자가 비상구로 사라진다
칼로 그어버린 수평선 너머
백색 카라 한 송이를 걸어두고
물에 넣은 양배추처럼
깨어나고 싶어
수직의 링거대에서 마지막 반사등이 꺼진다

봄날 무의식의 정거장에서

커튼은 도청된 귀를 달고
오래 번창해갈 것이다

-「그믐달의 마돈나」

기괴한 형상 사물의 형태나 예술양식을 일그러뜨리거나
과장되게 부풀리거나 자유분방하고도 기상천외한 형태로
이미지를 과장해서 재창조하는 예술적 표현 기법이 그로
테스크이다

시 「그믐달의 마돈나」에서는 링거줄 기침 손목 양말 흉
상 비상구 카라 반사등과 같은 사물들을 나열하는 과정
에서 기상천외한 이미지들이 연속성을 잃어버린 채 서로
이질적인 관계 속에 놓인다

하지만 결국은 다시 링거대로 되돌아오는 비선형적 선형
성을 지닌다 결국 이러한 사물들의 관계가 기괴성을 드
러내는 이유는 낡은 질서에 대한 해체 가치의 도착을 위
해 왜곡이나 이질적 결합이나 지나친 면밀성의 뒤섞임을
통해 표현되기 때문이다

현실 속에서는 재현되지 못하는 밤의 맥박 역청 같은 기
침 물속에 잠긴 흉상 도청된 귀를 단 커튼처럼 비현실적
이며 비이성적이고 비상식적인 이미지가 연속적으로 나
타난다 하지만 이 기법은 끔찍하고 우스울 뿐만 아니라
혐오적이면서도 한편으로는 매력적이기도 하다

봄날 무의식의 정거장에서

이 이미지는 욕망을 드러낸 무의식 속에 잠재된 환상성을 지닌다 현실에서 이루지 못하는 욕망은 더욱 구체화되어 끝없이 환상 속으로 달아난다

이는 괴기한 것 극도로 부자연한 것 흉측하고 우스꽝스러운 것 등을 형용하며 이는 분명 자연적인 미와는 반대 지점에 놓인다 링거 등은 현실적 상황 속에서 찾는 사물이지만 비현실적인 상황 속에서 의식과 무의식이 반영된 환상적 이미지를 매개로 내재된 욕망을 대면하는 통로가 된다

하마터면 현관문을 열 뻔 했다
문 앞에 서 있는 그 눈은
불거진 사진관에서 파란 불을 내뿜는
오래된 눈빛 같았다
나는 내 꿈에 매수당한 채
간신히 돌아누웠다
내 곁을 기어온 전갈 같은 어둠은
손끝에 놓인 중고책 속으로 기어들었다
책갈피에서 누군가의 엽서가 떨어진다
그러나 네 노래 속에 나는 없고
내혈관엔 너의 피가 흐르고 있어
어떤 말이 나를 이해받을 수 있을까
밤은 가죽장갑을 물어뜯으며
창이 녹는 소리 뒤에 서 있다

봄날 무의식의 정거장에서

-「매수당한 피」일부

환영이란 사물 간의 연계를 긴밀히 환기시키며 광적 자아가 외계 이미지와 현실을 자기 내적 필요와 욕망에 일치하도록 구성하는 착란이다 이는 공상 환상의 영역을 주의 깊고 비교적 정확하게 묘사한다

시 「매수당한 피」에서 화자는 섬세하게 관찰된 가사상태의 현실을 너와 나라는 인물의 동일시로 기록하는 과정에서 환상성을 불러들인다

내면 감정에 충실한 눈으로 독특한 심리적 정황을 들여다보면서 감정을 다시 내부로 투사하여 욕망을 관철시키려 한다

이러한 무의식이 만들어내는 환상성은 낯익었던 것들이 낯선 것으로 변형되어 기록된다 시에서는 '하마터면 현관문을 열 뻔 했다에서와 같이 익숙한 경험이 전혀 낯선 일상이 되어 되돌아보는 가운데 새로움과 낯설음을 환기하는 부분이 나타난다

너와 나의 낯선 결합은 가죽장갑을 물어뜯는 암울 한 환영을 불러낸다 중고책을 매개로 너와 화자가 동일시된 환상의 산물은 내 혈관엔 너의 피가 흐르는 과정을 함축한다

봄날 무의식의 정거장에서

책갈피 속에서 나온 노래는 지극히 비현실적이며 비현존적 사물로 이와 교류하는 환상성은 실재와의 간극이 큰 만큼 자신만의 세계로 침잠하는 상황이 가능하다

환상이란 현실의 반대편에 있는 상상계인 만큼 욕망의 충족은 불가능하며 부재하는 세계에 힘을 싣는다 하지만 환상성은 자연스러운 계기로 새로운 현실을 구현하는 매개가 되는데 그것은 환상의 세계에 자연스럽게 현실성이 부여될 경우이다

이 시에 나타나는 그로테스크기법은 사실적 관점에서 삶을 새로운 시각으로 들여다보는데 있다 현대의 삶 가운데 세상과의 원만한 관계가 멀어진 이유를 현재 상황이 만들어낸 부조리성에 두고 상호 관계의 분열 양상으로 부정적 분위기를 반영한다

저물녘 조금 늙어버린 너는 잠에서 깨어난다
머리맡에 구겨져 있는 시간
너의 몸에서는 비늘이 떨어져 내린다
멈춰버린 시계를 더듬으며
너는 혼자 중얼거린다
황사가 내리는지 유령처럼 걸어
다니는 마스크를 한 사람들
초저녁 먼지 냄새는 골목으로 번지고
길은 두루마리처럼 말리며
그림자를 삼킨다

봄날 무의식의 정거장에서

-「물렁물렁한 방」

그로테스크는 모순된 상황들이 충돌하고 현실적 대상을 낯선 장소에 두는 과정에서 본래 의미 용도 기능은 상실되고 초현실적 환상을 만들기도 한다

시 「물렁물렁한 방」에서는 꾸겨진 시간 떨어지는 비늘 멈춘 시계 황사 속을 걸어 다니는 사람들과 같은 스산하고 끔찍한 현실인지 비현실인지 정확하지 않은 상황을 부여한다

시에서 길은 사람이 다니는 열린 길이라기보다는 두루마리처럼 말려 있어 기존의 이미지를 상실하는 점에서 읽는 재미를 제공하기도 한다

인간성 훼손 비인간성이 변형되어 비판적으로 묘사되는데 이는 사회 현실에 속한다 익숙한 감각 관습 등을 거부하는 과정에서 현실을 시험한다 이 과정에서 시간 시계 사람 골목 길에 대한 관습적 이미지는 거부하고 시각적으로 본래 용도에서 벗어난 역할을 한다

이미지의 전복성을 토대로 사물의 기발한 세계로 시각적 충격을 가시화하는 사물의 이미지들을 계기로 현실의 상황들을 사유하고 성찰한다

기존의 방이 주는 안락함이나 안전함 완벽한 보호라는 이미지가 아니라 물렁물렁한 방이라는 표현에서는 기존의 방이라는 이미지가 전복된 채 나타난다

봄날 무의식의 정거장에서

이 부분에서는 기괴하고 섬뜩하며 기존의 가치관이나 사물들이 주는 이미지들을 거부하고 어리둥절하게 만들거나 희극적 요소를 띠는 점도 배제할 수는 없다
이 과정에서 기존의 모든 의미들이 거부되면서 끔찍하고 경악하고 섬뜩한 일그러진 상황 그로테스크가 나타난다

집으로 가는 길에
노란 비탈길이 일어선다
길모퉁이에서 무너지는 바람
그의 손은 추위처럼 떨며 손잡이를 찾는다
초시계처럼 파도치는 노을
길가의 나무는 거꾸로 자라고
빨간 덩굴풀이 벽을 타고
길을 갉아 먹는다
다리아래 강물은 난간을 뒤집으려 해
햇살은 포르말린에 담긴 것 같아
벽보에 걸린 동전 같은 달

-「노란 비탈길」

그로테스크는 현실을 파악 혹은 극복하기 위한 서술 수단으로 현실과 그 현실에 대한 입장의 상호 관계에 의해 둘 중에 하나가 선택된다

봄날 무의식의 정거장에서

위 시에서 화자는 잠재된 내면의 노란 비탈길 위에 서 있다 환상으로 내면적 욕망과 무의식 등을 현실에서 실현될 수 없는 비현실적 이미지로 사실적으로 표현한다 파도치는 노을 거꾸로 자란 나무 길을 갉아먹는 풀 포르말린에 담긴 햇살 등은 화자의 욕망 속에 잠재된 비현실적 이미지이다

이는 의미를 상실한 현실을 다시 조명하는 가운데 세계를 인식하는 새로운 방식을 제공하고 전도된 가치관으로 세계를 비판하고 재조명하는 과정에서 이를 극복하려는 초현실적 공간과 환상을 보여준다

억제된 상상적 욕망을 풀어놓은 이 사물의 이미지들은 현실에서는 실현 불가능한 비현실적이지만 사실적으로 표현하는 가운데 환상을 경험한다

그 과정에서 무의식으로 침잠하면서 상실된 현실을 재조명한다 길 바람 손 햇살 달 강물 등과 같은 다양한 사물들이 유희 하듯이 어우러지고 뒤엉킨 채 기존의 이미지가 변형되고 다층적 환상성을 불러일으킨다

지금까지 위상진 시집『그믐달 마돈나』에 언급되는 환상적 리얼리즘의 층위에 관해 살펴보았다 이들 층위는 현실과 비현실이 서로 엉기고 변형되어 세상과 현실에 대응하는 환상성을 바탕으로 이루어져 있다

매슬로우에 따르면 창의력은 모든 인간 본성에 내재된 인간의 기본 특성이다 그의 시에는 그만의 창의적 요소가 환상성과 더불어 표현된다 그것은 첫째 음식에 대한 환상적 층위로 나타난다

봄날 무의식의 정거장에서

이들은 콜라주 병치 열거 시공간의 초월이라는 표현 방식을 통해 현대인이 지닌 사물에 대한 획일적 사고방식을 벗어 던지는 한편 새로운 시각으로 사물을 바라보는 의식적 경고를 환상성에 덧입혀 표현한다

둘째 감각에서 돌발되는 환상적 층위가 나타난다 이는 혼돈 환각을 넘어서 불길한 관능성과 다면적 유연성 등 다양한 층위의 소리들을 사용하는 한편 관습적 사회가 만들어 낸 거짓 위선 횡포 등을 표현하기 위해 데포르마송 기법으로 환상성을 나타난다

셋째 말로 빚어낸 환상적 층위가 나타난다 이는 자동주의적 데생기법과 데빼이즈망 기법을 사용하였으며 일반적으로 용인된 사실들을 변형하는 과정에서 이전과 다른 사실을 새로운 사실로 받아들이게 되고 이 과정에서 다층위적 인지방식이 혼합된 환상성이 나타난다

넷째 그로테스크식 기법으로 표현된 환상적 층위가 나타난다 기형적 데생 괴상하고 기괴하며 다소의 불안감 공포감 등을 표현하는 과정에서 결국 현대인의 삶이 불안하고 허무하다는 메시지를 블랙코메디적 요소를 띠는 환상성으로 독자에게 전달한다

위상진 시의 특징은 세상에 대응하는 환상적 표현 방식에 있다고 할 수 있다 그것은 초현실적 요소들이 지닌 환상적 리얼리즘을 절대 현실이라는 미적 상상력 층위에 놓고 빚어낸 정신적 결과물이다

봄날 무의식의 정거장에서

이들 시의 미적 층위는 사실적 요소가 비현실적 요소와
더불어 전혀 이질적 사물을 이끌어내는 정신적 자유로움
의 획득을 유연하게 표현하고 있기 때문이다

봄날 무의식의 정거장에서

봄날 무의식의 정거장에서

양준호론 무의식의 정거장 비선형성

-양준호 시집 『존재서설』

봄날 무의식의 정거장에서

프로이트에 따르면 의식의 주인은 바로 무의식이다. 의식이
지배하는 삶에서 벗어나기 위해서는 무의식이 뜻하는 바를
깨달아야 하며 스스로가 무의식의 정보를 읽어내려고 노력하
는 한편 이를 실천하며 살아갈 필요가 있다
이러한 무의식의 지배에 충실하게 쓰인 초현실주의 시에 있
어 아름다움이란 외부 세계가 사물과 관계하든 시와 관계하
든 간에 유기적 통합과 수정체의 이미지를 상징하는 무관성
의 두 특징을 지닌다(M. Tison-Braun)
본 는 양준호 시집 『존재서설』(2008)에 실린 시에 관한 초
현실주의의 시적 적용과 다양한 특성에 관한 고찰하였다

오늘도 물고기는 낮달을 향해 짖고 가는
저 순환도로의 질주 가파른 절벽의 나비는 신의 심중을 알고
있는 것일까
불구의 객 불구의 객 아직도 물고기는 낮달을 사모하고 가는
데...
저 질주하는 순환도로,
눈썹이 까만 여자가 눈썹이 까만 여자를 굴리며 간다

「존재서설.6」 일부

초현실주의 시 중에서는 서로 떨어진 두 현실을 비교하기보
다는 단순히 근접시켜 새 이미지를 창조하는 기법이 있다 이
봄날 무의식의 정거장에서

근접성에 의해 사물들이 지니는 관계성을 지속시키는 시의 기법은 위의 시에서 나타난다

예를 들어 바다 속을 헤엄치는 물고기는 하늘을 나는 새의 개념과 동일시 여기며 지성을 상징한 나비와 근접시킨다

낮달을 향해 짖는 물고기에서는 환상성을 시공간적 상황과 결부지어 경악의 상황을 불러들이는가 하면 불구의 객을 등장시켜 삶과 죽음의 경계를 뛰어넘는 영원한 정신적 생명성을 지향한다

낮달은 빛이 비치는 세계와 반대되는 상징성을 띠며 신비로움과 불가시적 의미를 지닌 채 죽음과 부활의 정신을 뜻한다

눈썹이 까만 여자는 삶보다는 죽음에 근접하는 부정적 의미를 띠며 죽음이 질주하는 공간에서 존재한다

반면 화자의 내면을 상징하는 물고기는 부활의 의미로 긍정성이 비약된다 이 물고기는 무의식 세계를 상징하는 생물로 진화의 원시 단계를 의미하며 순환도로라는 길과 여자를 연결하는 매개가 된다

이 경우 이들 오브제로 감지된 추리나 이성적 판단은 일반적인 이미지를 버리고 전혀 예기치 못한 결합을 가져오므로 현실적으로 바면 무가치하다 삶과 죽음을 나누는 순환도로는 산 자와 죽은 자가 공존하는 공간이다

삶과 죽음이 한 공간 속에서 공존하는 한편 삶은 죽음에서 죽음은 삶 속에서 시작된다는 의미를 지속적으로 언급한다 이 공간은 현실적으로 불가능하며 따라서 화합하는 공간 역시 초현실적 공간에서만 가능하지만 시적 특징들은 결국 초현실주의가 지향하는 순수를 향한 부정성의 극복에 있다

봄날 무의식의 정거장에서

새는 눈동자를 내어밀고 있었다
인형도 눈동자를 내어밀고 있었다
물고기도 눈동자를 내어밀고 있었다
지금은 낮술 거나한 정오의 어지러운
세상 천년동안 여자가 태어나지 않는
세상 후두둑 물고기는 제 눈빛의 창을 열고
빗방울을 훔쳐보고 갔다

-「존재서설.14」

르베르디의 말처럼 서로 다른 두 이미지는 접근 과정에서 이미지 충돌이 일어나고 급기야는 새로운 의미와 이미지를 도출시킨다 이는 내면에 있는 정신적 해방 이미지 생산 자기 내면에 존재하는 무의식적 능력을 나타내기 위한 방법이다
위의 시에서 오브제들은 일정한 논리가 적용되지 않는 상황에 놓여 있다 이 친숙한 오브제들이 재현되는 과정에서 비정상적인 묘사로 드러난다
선택된 오브제는 현실 속에 존재하는 사물이지만 그들이 놓인 곳은 비현실적이다 이들 시의 오브제는 현실적 공간에서 철저히 박탈당해 있으며 이는 낮술 한 공간과 천년 동안이라는 비현실성이 공존한 공간 내에 존재하므로 시간의 연속성은 사라지고 비선형적이며 초현실적 의미를 재창조한다

봄날 무의식의 정거장에서

한편 이 시에서 무의식적 표현은 이성의 만능이라는 억압적 세계에서 벗어나서 꿈 우연 착란 광기 환각 환상 등과 같은 방식으로 무의식에 잠재한 자아를 발견하고자 하는데 있다 이를 표현하기 위해 새의 눈동자 인형의 눈동자 물고기의 눈동자 등을 꼴라쥬하는 과정에서 화자는 자기 최면을 걸어 공간의 상상력을 극대화시킨다 이 과정에서는 무의식에 따른 자동기술 방식이 나타나며 물고기의 눈빛 빗방울은 데빼이째 기법으로 표현된다

'나는 여자를 싫어해' 하니까
나무들 키들키들 웃고서 간다
'나는 여자를 싫어해' 하니까
물고기들 키들키들 웃고서 간다

-「존재서설.26」 일부

프로이트에 따르면 꿈의 해석은 마음의 무의식적 활동을 이해하는 지름길이 된다 따라서 꿈의 해석은 비현실적 내면세계를 기록하여 감춰지고 억압된 무의식의 깊이를 가늠하고 이를 해결하는 열쇠가 된다
일반적으로 세상의 모든 나무는 부동체이지만 이 시에서 나무는 무의식 세계에서 존재하므로 유동성을 가지며 현실성은 상실된다

봄날 무의식의 정거장에서

이로써 화자 내면의 무의식이 흘러가는 모습에서 물고기는 무의식의 세계를 상징하는 동시에 강이나 바다 속 생물로서 아주 먼 과거와 연결되는 매개가 된다 또한 여자 나무 물고기들은 동일 공간 내에서 어떤 강약도 주객도 없이 동격화된다 서로 다른 것이 하나로 집합하여 상호 화해하는 이 과정에서 초현실주의적 성향이 나타난다

해바라기 한 마리 블록담 앞에 고요히 서 있었다
이곳은 꽃눈도 오지 않고 꽃비도 오지 않고
꽃뱀도 오지 않는 눈썹만 고요히 잠든 세상
누님이라고 불러볼까 이제사 내가슴에서 눈을 뜨고 가는
물고기 아아 그 푸른 물고기
그래 그래 해바라기 한 마리 블록담 앞에 고요히 서 있었다

-「존재서설.83」

물고기는 물 속을 나는 새로, 하늘을 나는 새와 동일한 이미지를 갖는다 또 새는 죽은 자의 영혼 혹은 신과의 교류가 가능한 존재로 생명의 재생 유지 다산 남근 등을 상징하며 세속적 권위와 영적 권위도 함께 지닌다 중국에서는 고독을 불교에서는 번뇌의 해방을 나타낸다 (진쿠퍼)
위의 시에서 화자는 잠든 세상 속에서 누님을 불러보고 물고기를 만나고 해바라기를 만난다 비현실적 언어의 나열은 무

봄날 무의식의 정거장에서

의식의 심층을 읽는 직접적 정보로 제공된다 이를 되짚어 보는 과정에서 사물을 감각기관이라는 거름망을 통하지 않고 인지하는 과정에서 현실을 초월한 인식을 읽을 수 있다

시에서 비가시적 해바라기 한 마리가....서 있었다는 표현에서는 원시적 무의식이 나타나는가 하면 물질과 비물질의 경계가 사라진 생명의 원시성도 나타난다 외부 세계의 해바라기는 때로는 꽃눈 꽃비 꽃뱀 등을 기다리고 때로는 누님을 기다린다

내면세계에 존재하는 물고기는 해바라기처럼 서 있다. 또한 이러한 해바라기처럼 태도를 바꾸는 부분에서 의식의 혼란함이 나타난다

프로이트는 원시인의 사고는 이심전심으로 공간적 거리를 초월하고 먼 거리의 관계와 현재 관계를 함께 취급하는 마술 애니미즘적 사고법의 지배원리를 따른다고 말한다 이러한 통괄적 사고의 세계는 초현실주의 시의 기준이 된다

시에서 물고기 난초 소녀 가을비 등은 한자리에 공존할 수 없지만 이들을 현재 관계에서 한 공간에 두고 외부에서 일어나는 현실과 내부에서 일어나는 현실을 합체하는 과정에서 어느 것을 더 소중히 여기기보다는 서로 융합되고 상호 침투되는 과정을 거치면서 동시공존한다

그 결과 새로운 의미를 산출하고 나아가 무의식을 창조한다 따라서 위의 시에서 보듯이 다양한 오브제들은 예기치 못한 장소에서 예기치 못한 모습으로 존재하면서 몸과 마음의 내적 개별성을 드러내는데 이를 확인하기 위해서는 무의식의 점검 과정이 필요하며 오브제의 충돌에서 오는 새 의미는 신

봄날 무의식의 정거장에서

선한 충격을 불러온다

소래꽃게 속에서 겨울 햇살은 기지개를 켜고 갔다
꽃이 하오하오 지나갔다
구름이 하오하오 지나갔다 낮달이 하오하오 지나갔다
때는 소녀의 속눈썹이 젖어오는 음이월
플라타너스는 이미 임신했다는데.물고기
소래꽃게 속에서 겨울 햇살은 기지개를 켜고 갔다

-「존재서설.62」

인간은 일생동안 생각하고 잠을 자고 꿈을 꾸며 살아간다 이
꿈을 브르통은 예언적 꿈이 존재하지 않는다고 한 프로이드
와 달리 영감 단계를 인정하는 한편 진실한 생명성을 지닌다
고 여긴다
이 시에서는 소래꽃게 햇살 꽃 구름 낮달 등이 연속적으로
지나가는 환상적 장면이 화자의 뇌리 속에서 빠른 속도로 지
나간다 이는 잠을 자거나 반가시적 상황들에서 나타나는 무
의식을 표현하는 자동기술법으로 어떤 추리나 판단이 존재하
지 않은 채 무계획적으로 진행되는 우연성의 단절과 연결이
반복되듯 연속적으로 지나간다
그 화면 속에서 사물의 이름이나 그 내면에 존재하는 인식이
아니라 순수한 언어 본래적 의미만을 지닌 낱말들이 등장하
봄날 무의식의 정거장에서

고 연이어 다른 낱말들이 다시 그 자리에 교체되어 존재하는
표현 방식인 자동기술법이 나타난다
이에 의하면 꿈속에서 만나는 물고기 햇살 등은 꿈속에 존재
하는 무의식을 표현하는 오브제가 된다

새는 숙취의 내 눈동자 속으로 추억처럼 날아오고 냉장고 속
낮달을 씹어먹고 간 소녀는 물고기로 헤엄쳐 갔다는 소문 속
눈이 내린다 누가 입체파인가 누가 입체파인가
낮달을 삼킨 소녀의 눈빛 꽃뱀은 꽃뱀 지느러미는 지느러미..
아아 아귀는 아귀 아귀는 아귀 게가 사라진 거리
게눈깔만 푸른 콩나물로 빛나고 갔다

-「존재서설.54」일부

인간은 자신만의 비밀 장소를 갖기도 한다 때로는 이 비밀
장소가 잃었던 기억을 깨우는 원형이 되고 환상을 더해 자기
만족을 구하는 희망의 끈이 된다
위의 시에서 오브제는 정작 존재할 공간이 아닌 전혀 예기치
못한 장소에 존재하는 기괴성이 드러난다 이를 브르통은 내
적 기후의 관측소라 했다
시에서 눈동자 속 냉장고 속 소문 속 등 장소의 데빼이즈망
을 통해 다양한 오브제들을 흩어놓는 내적 기후들을 관측하
는 과정에서 의식의 재창조를 구가한다 갔다 삼킨 내린다 사
봄날 무의식의 정거장에서

라진 등과 같은 움직임의 부정적 의미를 지닌 어휘들이 한꺼
번에 사라지고 그 자리에 밝은 햇살처럼 푸른 빛나는 등으로
긍정성을 지닌 어휘가 자리바꿈한다
그 과정에서 반복적으로 사용된 어휘는 pun기법도 나타내며
이로써 기존 언어에 대한 파괴성을 동반하고 참신성이 드러
난다

사람들은 오후 한 시에 무엇인가를 위해 울고 갔다
물고기도 오후 한 시에 무엇인가를 위해 울고 갔다
전신주도 오후 한 시에 무엇인가를 위해 울고 갔다 이윽고
소녀의 손바닥에서 눈을 뜨는 으깨진 바람
꽃잎은 속으로 속으로만 울고 갔다

-「존재서설·12」 일부

슈나이더에 따르면 물고기는 때로는 날아다니는 새로 때로는
생명의 신비로운 배로 인식된다 의식 안에 현존하고 또 우리
가 인정하는 표상을 의식적이라고 한다면 잠재하지만 정신생
활 안에 존재한다고 확실히 가정하는 표상은 무의식적으로
표현이 가능하다(초의식 심리학)
물고기는 남근을 상징하며 나아가 다산 번식 재 생명의 원천
을 담은 바다의 힘 땅의 힘을 상징하는 두 의미를 지닌다 특
히 형태적 측면을 들어 지하에 사는 새와 동일시 여기며 다

봄날 무의식의 정거장에서

른 의미로 희생 천상과 지상의 연결성을 상징한다

다른 한 가지는 알을 많이 낳는다는 의미에서 태모신과 연관되며 정신적 삶의 풍요를 상징한다 불교에서 물고기는 속박으로부터의 자유를 상징한다 오후 한 시라는 시간의 질서에 순응하면서 사람 물고기 전신주 등은 전혀 이질적인 사물들로 복잡성을 띤 채 형성되고 혼돈을 이루지만 간다라는 반복된 무의식 흐름 속에서 비선형적 질서감을 형성한다

시에서 화자가 존재하는 곳은 고정되고 갔다는 반복적 어휘 속에서 오브제만 바뀌는 상황이 연속적으로 이어진다 이러한 주관적 환상이 연속적으로 바뀌면서 현실은 변화하기 보다는 주관적으로 화자의 의식 속에 투사되어 나타난다

비가 올 듯한 꽃 터널로 사나이가 지나갔다
여보세요 혹시 그곳에서 충혈된 새의 고향을 보지 못했나요
소녀가 기어간 길을 사나이가 지나가고
꽃뱀이 기어간 길을 나비가 지나가고
여보세요 혹시 그곳에서 충혈된 새의 고향을 보지 못했나요
사나이는 사나이들끼리
소녀는 소녀들끼리 꽃뱀은 꽃뱀들끼리
나비는 나비들끼리 갔다 신음처럼
홀로 갔다

-「존재서설·18」

봄날 무의식의 정거장에서

자기 내부로 침잠 혹은 하강하는 행위 그리고 숨겨진 장소에 조직적으로 빛을 보내어 그 이외의 장소는 점점 어두워지게 하는 방법으로 우리는 자신의 정신력을 되찾기도 한다 (Yvonne Duplessis)

보통 사람들의 의식이 사라지고 무의식의 영역인 자신의 내면으로 들어가면 자기에게 보이는 상상을 주변이나 외부세계와 결부시킨다 그리고는 그러한 현상에 자신의 주관성을 더욱 강화한다

위의 시에서 소녀가 지니는 순수 이미지라는 구속에서 벗어나 무의식 속에 숨어 있는 현실적 의미를 찾아낸다 또 무의식의 자유로운 흐름 속에서 사나이 소녀 꽃뱀 나비 등은 혼란스럽게 뒤섞인 생물체들로 신음 새의 고향과 같은 무생물이 주체와 객체로 분리되지 않고 우주 속에서 함께 어울린 구성체로 파악된다

시의 공간은 고정 공간이다 사나이 소녀 새 꽃뱀과 같은 오브제들만 화자의 고정된 상상 속을 순서대로 때로는 전혀 이질적 오브제가 동질의 공간 속을 다녀간다 이로써 무의식적 상황 속에서 오브제들의 움직임만이 포착되는 의식과 무의식의 혼돈된 상황을 구사한다

햇살도간다지렁이도간다새도간다소녀도간다꽃뱀도간다
나뭇잎 제 살점에 대해서 의문표를 던지고 가는 구월
아 헛살았구나 저 분홍빛 파도같이

　　　봄날 무의식의 정거장에서

헛살았구나 그렇게 그렇게도
햇살도간다지렁이도간다새도간다소녀도간다꽃뱀도간다

「존재서설.10」

정신의 황홀 경지는 몰입의 이미지를 형성하는 한편 초현실
성을 드러낸다 위의 시에서 지렁이 햇살 소녀 꽃뱀 나뭇잎은
생명성을 지닌다는 점에서 공통성을 지닌 오브제가 된다 이
들은 물질과 정신이 하나가 되고 나아가 현실과 비현실이 혼
돈되어 포괄적으로 인식하는 상태에 이른다
자동 기술 현상의 흐름은 내면으로 향할수록 점점 가속화된
다 각각의 단절된 오브제들이 재빠르게 무의식에서 의식으로
바뀌면서 허망을 표출한다
하지만 결국 다시 무의식의 상태로 몰입하는 과정에서 강력
한 작용을 억제하던 의식은 제거되고 대신 무의식화된 사고
들이 힘을 갖는다 위의 시에서 이러한 화자의 무의식은 지렁
이 새 소녀 꽃뱀 등으로 대변되며 화자의 내면에서 고정되기
보다는 오브제만 바뀌면서 화자는 무의식의 강을 흘러간다

오늘도 나의 우주는 지진 중 꽃 한 송이 저승에서 울고 갔습
니다
새가 울고 갔습니다 달이 울고 갔습니다
물고기가 울고 갔습니다

봄날 무의식의 정거장에서

울어 내 목숨의 바다에 출렁이는 뭇 목숨떼 ..
오늘도 나의 우주는 지진 중 꽃 한 송이 저승에서 울고 갔습
니다

-「존재서설.32」

인간의 사고는 때로는 현실성을 상실하면서 서로 합체되고
때로는 통합된 질서를 갖는다 그 과정에서 혼돈 속의 질서
고도의 창조적 질서를 만들고 그 체험들은 흐린 의식 속에서
초점이 맞추어지지 않는 심층 의식으로 이행된다
그 과정에서 비로소 화자는 내면의식의 표출이 가능하다 이
시에서는 꽃 새 달 물고기 등이 혼재되어 나타나지만 이들은
은연 중 갔습니다라는 고정된 무의식의 틀과 그 틀이 지나가
면서 자리가 바뀌는 오브제를 연속적으로 받아들인다
그 과정에서 이들 오브제들은 어떤 변화 없이 화자의 무의식
의 심연 속으로 그저 묵묵히 사라져 버린다 이는 단일한 하
나의 서술어이지만 단일한 주어를 갖지 않으면서 수많은 주
제를 향해 의미가 확산된 채 의미의 초월성 서술어의 확장에
서 초현실성을 나타난다

속살이 드러났다 낮달
불행히도 그래 나의 웃음은 끝났는가
불행히도 그래 나의 젖꼭지는 끝났는가
불행히도 그래 나의 신음은 끝났는가

봄날 무의식의 정거장에서

속살이 드러났다 낮달
속살이 드러났다 낮달 바다는 지금 몸살 중
봉선화 꽃잎 속 노을의 덫에 걸린 하늘 하늘로
눈이 큰 물고기 날아 날아서 갔다

－「존재서설·37」

절대적 부정으로 순수한 긍정에 도달한다(정귀영 2000)는
말은 초현실주의의 피할 수 없는 절대명령이다 위의 시에서
반복된 불행히도에서는 절대적 부정성을 강조하며 이는 새로
운 정신상태의 창조 및 우연의 의지로 순수 긍정에 도달하기
위한 방편으로 나타나며 이는 각 연 간의 단절이 과도하게
어색한 반전으로 구성된다 속살이 드러났다
낮달과 같은 현실의 풍경과 나의 웃음과 같은 내면의 심리상
태를 표현하는 과정에서 그리고 눈이 큰 물고기와 같은 무의
식적 상황으로 표현되는 현실을 감안할 때 화자는 무의식과
의식을 오가면서 이들을 서로 통합하려는 의도가 나타난다
즉 물질과 정신은 초현실의 세계 안에서 새생명의 에너지를
얻어 하늘로 날아가는 포괄적 생명체로 존재한다는 의미이다

내 몸에서 낙엽 타는 냄새가 그쳤을 때 새들은 비로소 울기
를 멈췄다
뒤로 가 뒤로 가 모과빛 같은 화면을 반추해 본다
봄날 무의식의 정거장에서

너는 어디 있니 너는 어디 있니
바다는 이미 눈자위까지 어머니의 울음 물고기의 비애를
하고 간다

-「존재서설.22」

이유없는 우연의 배열과 동시의 배열은 가장 받아들이기 쉬
우며 원칙상 아무런 틀을 갖지 않는다(다다 1918)
이는 인과 관계가 전혀 반영되지 않은 채 형성된 상태를 일
컫는다 위의 시에서 내 몸에서 낙엽 타는 냄새는 무의식적
몽환 상태에 있고 울기를 멈췄다는 의미는 현실과 바다가 비
애를 치장하고 떠난다는 비현실의 동일성이 신비감을 드러낸
다
이질적 이미지의 시각성이 현실적 우월성을 더하면서 부정적
인식을 지닌 사물은 순수의 비현실성을 창조하고 기존의 현
실에서 멀어져 간다

오늘도 비비새는 종일을 울고 갔다
물고기 물고기도 종일을 울고 갔다
아직 외투 속에는 봄이 오지 않았다는데
비비새 정말 비비새는 어디로 간 것일까
누군가 누군가의 낙엽처럼 쌓이는
내 허무의 입술을 훔치러 게 한 마리

봄날 무의식의 정거장에서

고요의 봄으로 가고 있었다

-「존재서설.15」일부

인간의 의식과 무의식은 어느 것이 우월한지 열등한지 알 수 없다 또한 무의식은 우연과 모순없이 우연을 함축한다 (J. 아다마르 수 발명의 심리학)
이처럼 위의 시에서 비비새 물고기 게 등은 사물의 이름들이다 비비새 물고기 등이 화자의 환상 속에서 화자의 내면 의식을 경유하는 동안 외투 낙엽 훔치다 울다 등과 같은 부정적 어휘는 어디론가 한꺼번에 사라지고 긍정적이고 순수한 봄이라는 오브제만 남아 새로운 희망적 의미망을 형성한다
이로써 부정적이고 어두운 면에서 출발하여 순수의 무한에 도달하려는 초현실주의가 추구하는 창조 활동의 목표 지점에 기꺼이 다가선다

이빨은 어디로 갔니
플라타너스 몸 속에서 물고기가 울고 갔다

-「존재서설.7」일부

시에서 표현된 오브제는 객관적 사실의 오브제가 아니라 시
봄날 무의식의 정거장에서

어로 사용되면서 새로운 이미지를 갖는 사물로서 이는 독창적 시각에만 일어나며 사물을 현실성에서 멀리하는 원인이된다 (Hugo Fredinand)

시에서 화자는 이들이 사라진 공간에서 이빨 플라타너스 물고기 등과 같은 오브제를 떠올리지만 이미 어디에도 존재하지 않는 무시간적 상황과 접해 있는 시적 현실 속에 놓인 화자 자신과 맞닥뜨린다 그래서 가시성의 세계가 아니라 비가시성을 지닌 세계를 강조한다

이 시에서 현실적 의미를 찾다보면 관념에 얽매일 수밖에 없다 현실적 상황으로 이해되는 단일화된 의미를 배제하고 시어가 지닌 순수한 이미지 회화성 등을 고려한 통합적 시각으로 읽으면 오브제는 현실을 떠난 비가시성을 지닌 세계를 강조하기 위한 방편이자 그 속의 신비성이 존재하는 비합리적 현실로 존재한다는 점을 깨닫는다

피보라 소문의 가지 끝에서 노을의 새가 일어서고 있었다 달은 어디로 갔니 달은 어디로 갔니 히아신스가 히아신스에게 묻고 있었다 지구의 물고기는 지구의 달은 다 어디로 갔니 목발의 히아신스의 어깨에 신의 눈물같은 진눈깨비가 펄 오고 있었다 오고 있었다

-「존재서설.8」

T. 체트우인드(Tom. Chetwynd)에 따르면 달은 죽음과 부
봄날 무의식의 정거장에서

활을 의미하며 신생의 이미지를 갖는다 꽃은 생명의 상징체
이자 삶과 죽음의 융합상태를 의미하며 태모의 원형으로 작
용한다 달은 무의식의 세계를 내포하며 정신적 지혜의 원천
이다 물은 존재의 실체를 변화시키는 특징이 있으며 새로운
생명이 탄생되는 자궁을 의미한다 위의 시에서 진눈깨비는
이 시의 시공간적 상황을 짐작하게 만드는 원천이 물이 되는
오브제이다

진눈깨비란 물의 실체가 변모된 사물의 모습이기 때문이다
시에서는 관념 속에서 존재하는 새가 등장하여 달 히아신스
에게 달과 물고기가 어디로 갔는지를 묻는다 모두들 어디론
가 가고 없는 비현실적 공간 속에 진눈깨비의 등장은 오브제
의 관계에 새 이미지와 공간을 제공한다

오늘도 우체국엔 철새만 다녀갔습니다
오늘도 우체국엔 철새만 다녀갔습니다
어디 썩지 않는 꽃이 있을까요 괜스레
빨간 역삼각 등불만 내어 걸린 종로의 거리
그 물고기는 어디쯤 가고 있을까
오늘도 우체국엔 새만 다녀갔습니다
오늘도 우체국엔 새만 다녀갔습니다

-「존재서설·13」

봄날 무의식의 정거장에서

푸엥카레의 말처럼 창조는 불필요한 결합을 만들지 않으며 유익한 결합만을 검토한다 그런데 이 유익한 결합이란 극소수일 뿐이며 발명이란 판별이자 선택이다 (J.아다마르 1990년) 위의 시에는 철새가 다녀간 우체국 종로의 물고기와 같은 표현에서는 초논리적 의식이 나타난다 그렇지만 시어 자체가 지닌 의미에 의존하면 현실 속에서도 있을 법한 내용이 되지만 도시의 흐름상 비현실적 의미로 더 깊이 와 닿는다

그 이유는 이러한 오브제들을 선택하고 표현하는 방식들이 비논리성 비현실성 속에서 초현실주의가 추구하는 순수성을 찾기 위한 방편으로 작용하기 때문이다

그것은 다녀갔습니다로 연속적 표현에 집중된 무의식적 우연성으로 발생되는 의식의 흐름이 주는 원초적 시어의 기동성으로 이로써 무의식의 지배를 받는 비현실적 일상의 의미로 읽혀진다 무의식이 의식화될수록 인간의 의식은 본질에 한층 더 가까워진다 이러한 화자의 무의식적 흐름은 우연과 모순 없이 우연을 함축한다는 의미를 확인하는 부분이 된다 양준호 시집에 나타나는 오브제 서로 이질적이면서 상호 혼합적 이미지를 형성한다

주요 오브제는 물고기(17편) 새(19편) 소녀(22편) 여자(14편) 등이다 그의 시에서 각각의 오브제를 구분하다 보면 오브제가 불러들이는 몽환적 의식의 흐름을 놓치게 된다

이들의 등장은 물질과 정신이 상호작용을 강조하는 방편으로 사용되는 한편 이들 시가 지닌 무의식적 선형성이 보여주는 과정을 통해 새로운 이미지가 발현하고 초현실적 생명성을 찾아가는 통로이다

봄날 무의식의 정거장에서

그의 시에 나타나는 시적 상상력은 초현실주의 시가 가지는 특성을 간다 갔다라는 시어를 중심으로 형성된다 무의식의 흐름은 큰 틀에서 보면 생각의 중심에 떠남을 두고 다시 작은 하위 갈래로 나뉘는 방식으로 무의식이 아래 항목으로 나뉜다 화자는 고정된 공간에 거하면서 각각의 오브제만 화자의 무의식의 강을 지나가고 다녀가고 거쳐 흘러가는 방식으로 이루어진다

이러한 간다 갔다에 집중적으로 의식의 흐름 기법이 나타난다 이는 화자의 내면적 경험이나 환상 상상의 세계를 부각시키기 위한 가장 적절한 표현 방식으로 채택된다 그의 시가 지니는 초현실주의적 유형과 시적 적용은 몇 가지 특성을 지닌다

첫째 부정성을 거쳐 그 부정성이 심화 강화된다 이 부정성은 무의식의 흐름이라는 강을 거치면서 긍정성으로 변화되며 초현실주의의 절대명령에 근접해가는 특성이 나타난다

둘째 반복적 어휘의 나열로 몽환 혹은 강조를 내세운다 어들은 부정 의미를 뜻하는 오브제들과 부정적 의미의 오브제가 무의식이라는 영역을 거치면서 큰 범주의 긍정화를 이루는 특징을 지닌다 시에 나타나는 무의식은 비선형성이 나타난다 혼돈을 대신하는 복잡성과 질서를 형성하는 복잡성의 두 의미를 지닌다 비선형에서 비롯되는 다중적 현상들은 완전 무질서한 혼돈 상태로 빠져 버리기보다는 무의식이라는 흐름 속에서 중간 정거장 형태를 이루는 비선형성들이 혼용 혼합으로 균형을 추구하는 동시에 이질적 이미지를 형성하는 의미의 질서화를 이룬다

봄날 무의식의 정거장에서

봄날의 시인 혜월당 김지숙

시집
첫 번째 시집 하늘가는 길에 들꽃이 핀다 (1997)
두 번째 시집 푸른 솔숲 꽃이 되어버린 바람에게 (2000)
세 번째 시집 무진장 봄날 (2021)
네 번째 시집 봄날 나르샤 (2023)
다섯 번째 시집 굽이굽이 봄날 (부크크)
여섯 번째 시집 어서와 나의 기특한 봄날 (부크크)

평론집
첫 번째 평론집 봄날, 우리가 가장 빛나는 순간 (부크크)
두 번째 평론집 시가 있어 더 고운 봄날 (부크크)
세 번째 평론집 연분홍 봄날, 나를 찾아왔다 (부크크)
네 번째 평론집 봄날, 시가 무작정 내게 왔다 (부크크)
다섯 번째 평론집 봄날, 찬란한 햇살로 다가왔다 (부크크)
여섯 번째 평론집 낯선 봄날 다시 만나다 (부크크)
일곱 번째 평론집 봄날, 무의식의 정거장에서 (부크크)
여덟 번째 평론집 봄날, 별별 시를 탐하다 (부크크)
아홉 번째 평론집 봄날, 달달한 시의 숲에서 (부크크)

수필집
　　　　봄날 무의식의 정거장에서

첫번째 수필집 엄마의 부엌에서 만난 봄날
두번째 수필집 찾았다 세상의 모든 봄날
세번째 수필집 하르르 봄날이 눈부시다
네번째 수필집 봄날 저절로 환하다
다섯번째 수필집 지난 봄날이 내게 말했다

논집
조향 시의 상징성연구 (1997 석사학위논문)
일제강점기 한국시의 자연지향성연구 (2000 박사학위논문)

공저
20세기 한국문학사 I (2000)
20세기한국문학사 II (2000)
현대시의 감상 (2002)
현대시읽기 (2005)

저서
문장론 (2003)

봄날 무의식의 정거장에서

에필로그

봄날 무의식의 정거장에서

무의식의 정거장에서

혜월당 일곱 번째 평론집

한국시문학시인론
표지 그림 김미숙

표지 내지 편집 김지숙

봄날 무의식의 정거장에서

혜월당 일곱번째 평론집
봄날, 무의식의 정거장에서
한국 시문학 시인론

지은이 김지숙(혜월당)
발 행 2023년 11월 28일
펴낸이 한건희
펴낸곳 주식회사 부크크
출판사등록 2014.07.15.(제2014-16호)
주소 서울시 금천구 가산디지털1로119SK트윈타워A동305호
전 화 1670-8316
이메일 info@bookk.co.kr
ISBN 979-11-410-5531-8
www.bookk.co.kr
ⓒ 김지숙 2023

봄날 무의식의 정거장에서